天地明察 下

冲方 丁

角川文庫 17399

目次

第四章　授時暦

一

幾つか事件が起こった。

全て、寛文《かんぶん》五年から六年にかけてのことである。そしていずれもが、春海《はるみ》の心に残り、またその一生に影響を及ぼすものとなった。まず、春海が北極出地から帰還してから二年後の、寛文五年十月。一冊の書が発行され、物議を醸した。

『聖教要録』

という書で、著した者の名を、山鹿素行《やまがそこう》といった。会津若松《あいづわかまつ》の生まれの、れっきとした武士である。けっこう小柄な体躯《たいく》をしており、容貌《ようぼう》きわめて穏やかな、四十四歳。

幼少のとき父と江戸に来て、朱子学、儒学、神道、兵法を学んで達者となり、また歌学もたしなむ文武両道の人である。名高い兵法家、あるいは儒者として知られ、特に兵法においては〝山鹿流〟の一派を成すに至っている。そのため赤穂藩《あこう》に千石の石高で召し抱えられ、いっとき先代将軍家光《いえみつ》に仕えるという話があったが、家光の薨去《こうきょ》によって実現しなかったのだという。それほどまでに確かな教養見識の持ち主だった。

この人物、本人はいたって穏やかだが、その論説はさながら燧石《ひうちいし》のごときであった。論説自体は理性的で理路整然、特に過激な思想をばらまくような感じのものではない。

だが、山鹿という人物にふれ、教えを受け、あるいはその思想に共鳴した人々の脳裏や胸中に、なぜか不思議と火を熾《おこ》す。山鹿自身は、再三述べるが、石のごとき不動の落ち着きを持った人である。しかしその目に見えない石のかけらを受け取った人々は、良い意味でも悪い意味でも、石火を浴びせられた油芯《ゆしん》のごとく燃焼する。たとえば、かなりのち、赤穂藩の数十名にのぼる藩士たちが、烈しい騒擾《そうじょう》事件を勃発《ぼっぱつ》させ、〝赤穂浪士〟として江戸の民衆に知られることになるが、その彼らの思想行動に、特に強い影響を与えた人物を挙げるとしたら、山鹿素行を筆頭から外すことは難しい。本人にその気はなくとも、自然と着火点となり、あるいは導火線のような役割を果たしてしまう。そんな人物である山鹿が、

「幕府の怒りを買うのでは」

と親しい者たち、弟子たちが止めようとするのを、あえて静かにかぶりを振って退

け、

「聖学を私《わたくし》するべからず」

との信念をもって発行したのが、先の『聖教要録』である。

この〝聖学〟とは、孔子《こうし》の教えである。中でも特に日常の生活を規定するような教えを指していた。その意図は至極単純と言っていい。〝復古〟すなわち古《いにしえ》の儒の教えに復すべし、というのである。この復古には、観念的な世界にとらわれることを捨て、〝日用の学〟にのみ専心せよ、という意味合いがあった。

そしてこれは必然とも言える思想的展開だった。

江戸幕府という新たな世が生まれたとき、人々は過去から将来にわたり、この世がどうなってゆくのかを、抽象的に、大々的に包括する世界観を欲した。それに適合したのが朱子学である。江戸幕府による泰平の世と朱子学とは、切っても切れない関係にある。

仏教の論理、道教の原理、儒教の世界観という三つの支柱をもって大成された〝新儒教〟たる朱子学は、中国においてもまず何より〝世界と人間の在り方〟を解明する哲学思想として大成した。世界とは何か、人とは何か、世界と人はいかなる関係にあるか。

そして社会が安定するとともにそうした原理的な思索から、やがて〝礼学〟といった具体的な社会構築の思想が求められた。雄大な世界生成の原理から、より卑俗な、政治学というべきものへと変貌してゆくのである。さらにそこから徐々に抽象的な議論が廃されてゆくことで、より個人的で、かつ民衆的な、道徳実践を重んじる思想が芽生えてゆく。

さらにその道徳実践は、土地土地の風土に根ざしたものへと変形される。個人的であると同時に、狭い範囲での共同体意識、民族主義の自覚とでもいうようなものへと傾斜する。

こうした思想の〝動脈循環〟において、山鹿素行が『聖教要録』で担ったのは、抽象的な理論を廃する、という段落であろう。個人的かつ民衆的な、〝これからの武士はいかにして生きるべきか〟といった道徳実践の論理を、整然と説いたのである。

朱子学の抽象性を廃すべし。

江戸幕府にとって、その存在理由、誕生の必然性を、思想面で証明しうる世界観。徳川家による治世の根本原理を支える〝世界と人間の関係〟――

それらを斬って捨てたのである。

寛文六年三月二十九日。

また一つ事件が起こった。といっても物議を醸すようなものではない。

酒井《さかい》〝雅楽頭《うたのかみ》〟忠清《ただきよ》が、老中奉書を免じられるとともに、大老に就任したのである。いまだ壮健たる四十三歳。きわめて順当な出世であり、かねてから用意されていた席に淡々と就いたという感じである。かつての四老中のうち、松平《まつだいら》〝伊豆守《いずのかみ》〟信綱《のぶつな》は四年前に死去、阿部《あべ》忠秋《ただあき》はこの年に隠退、松平乗寿《のりなが》の死去により老中となっていた稲《いな》葉《ば》〝美濃守《みののかみ》〟正則《まさのり》は酒井より一つ上の四十四歳だが、家格・実績、ともに酒井に及ぶべくもない。

酒井は、いわば松平信綱と阿部忠秋によって鍛えられた、純粋培養の将軍補佐役である。大老になるとともに日に日に裁可が酒井一人の判断に委《ゆだ》ねられるようになったが、それは将軍家綱《いえつな》が暗愚なのでも、酒井が独裁へ傾いたせいでもなく、それまでの優れた合議制が作りだした治世の流れがきわめて明快であったためである。政務難航はいついかなるときも生じうるが、それが紛糾の事態になるような局面となる前に粛々と処理されていった。

酒井らしい、定石に次ぐ定石の手である。周囲も酒井が次に何を考えるかわかっているから徒《いたず》らに混乱するということがない。

春海は、単純に感心した。よくまあ一個の器械のように働くものだ、という感心である。

それが酒井の特質であり、また今の江戸幕府が酒井に要求する在り方だった。自分ではとても我慢できないだろう。きっとすぐ〝飽き〟に苦しみ悶《もだ》え、頭がおかしくなってしまう。

そう他人事《ひとごと》として思った。だがだんだんと他人事ではいられなくなってきた。今や将軍に次ぐ権力の座に、酒井がいる。そしてその酒井に、相変わらず、ちょくちょく碁の御相手として春海が指名された。俄然《がぜん》、碁とは関係ないところで一目置かれることになった。

あるいは酒井と犬猿の仲で知られる、というよりほとんど一方的に酒井を嫌っている、寺社奉行の井上正利《まさとし》などは、面と向かって酒井を批判できなくなったため、

「これ、囲碁侍。大老様が御所望じゃ」

わざわざ大声で揶揄《やゆ》したりするようになった。

〝囲碁侍〟とは、むろん碁打ちの身分でありながら二刀を与えられた春海のことである。

春海に二刀を与えた酒井を間接的に皮肉るための、無骨な井上らしい、がっくりくるほど芸のない渾名《あだな》だった。とはいえ人の口にのぼりやすいことは確かなようで、茶坊主衆なども〝そろばんさん〟の代わりに、〝囲碁侍様〟などと、褒めているのか貶《けな》しているのかわからぬ様子で呼んでいた。そのことが、以前と違って春海の耳に入るようになった。というより、わざわざ春海に教えたがる者が増えた。それで春海の反

応を窺《うかが》うのである。追従《ついしょう》のときもあれば、揶揄のときもある。春海としては、どっちにしろ、どう反応すべきかわからず、はあ、そうですか、と返すしかない。その様子が、どうも酒井の、あの淡々として感情の欠落した態度と類似していると思われるらしい。酒井が春海を気に入っているのは、つまり〝類は友を呼ぶ〟からだと噂された。そしてそんな酒井の〝類〟であり〝友〟らしい希有《けう》な存在たる春海に、

「で……かねての、あの山鹿先生の件、いかがなものでございましょうか」

などと訊《き》いてくる者が、急増した。それこそ答えられるはずがない。まさか酒井がそんなことを春海に漏らすわけもない。

「まあ、どうでしょう」

と気が抜けたように返すばかりである。

春海も確かに、寺社の碁会で何度か山鹿と会っている。それどころか考えてみれば数回は指導碁らしき碁を打った記憶もあった。静かな人だな、というのがそのときの感想である。きわめて真面目に打ち筋を学ぼうとしていたが、どこか機械的な態度だったように思う。

〝この青年は武士ではない。一介の碁打ちに過ぎない〟

という目で見られていたのだろう。ただしそれが不快だった記憶はない。理想の武士像を唱える山鹿にとって、相手が武家であるか否かが、一種の尺度なのかもしれな

かった。

そんなわけで、当然、親しいはずもない。それなのに、酒井に目をかけられているからには、あらゆる人脈に精通しているはずだとでも言いたいのか、

「山鹿先生はどうお考えでしょう」

などと春海に訊いてくる者もいた。しかも碁打ち衆からも同様のことを質問される。はっきり言って困惑顔をさらす以外にない。それでも訊いてくる。それほどみなが答えを求めていた。

山鹿素行という人物の影響力は、物議を醸すという以上のものがあった。山鹿は兵学を北条《ほうじょう》〝安房守《あわのかみ》〟氏長《うじなが》に学んだらしいが、今では北条の方が山鹿の言行に倣っていた。

北条は、大目付である。江戸の秩序を担う者が率先して山鹿を持ち上げるのだから、必然的に、山鹿の言行すなわち善である、ということになる。

その他、山鹿の思想や、新しい世の〝武士像〟に共鳴する者は多い。ただ、それは正しく山鹿の思想を理解し、吟味してのことではなく、きわめて気分的なものが強かった。泰平の世で、ろくな役職もなければ生き方の方向性すら失った大勢の武士たちが、山鹿ならば自分たちにふさわしい生き方を提示してくれるのではないかという、勝手な期待を込めての共鳴である。

　そしてそれは理屈を超えた行動を促すことができるということだ。本人にその気はなくとも、煽動者《せんどうしゃ》としての才能が山鹿にはあったのかもしれない。そして内心の鬱屈《うっくつ》の解消を求め、自分たちを煽動してくれることを欲する者たちが多数いたのも事実である。

　しかも男だけとは限らず、その言行は〝大奥〟にすら影響を与えた。

　山鹿を先代将軍家光の侍儒に推薦した女性を、祖心尼《そしんに》といった。他でもない、かの春日局の姪《めい》にして、家光の侍妾《じしょう》たるお振《ふり》の方の祖母である。言うまでもなく大奥における一大勢力の筆頭たる女性だ。大奥は江戸幕府が抱え続ける〝業病〟のようなもので、将軍家綱の考え次第では、祖心尼の幕閣への影響力は大老にも比肩しかねない。

　そんなわけで、城のあらゆる者が、〝山鹿素行〟の名に、ぴりぴりと張り詰めた興味を抱かざるを得なかった。具体的に山鹿の何が悪くて、幕府にこのような緊張をもたらしているのか、正確に理解している者は少ない。春海も訳がわからない。だが何となく怖さを感じてはいた。あの北極出地の旅で、伊勢《いせ》にいたときに抱いたような脈絡のない怖さである。そしてそれこそ、まさにこの状況の正鵠《せいこく》を射ていたことをまだ春海は知らなかった。

　ただ、事態は呆気《あっけ》なく収束した。

　寛文六年十月三日、『聖教要録』発行の罪が公儀で決定されたことを、大目付たる北条氏長が、出頭した山鹿に告げた。

九日未明、山鹿は江戸を追放され、赤穂に配流《はいる》の身となった。

誰のどのような意志がそうさせたのか、いったい何がどうなって幕府に緊張が走ったのか。憶測以上のことは春海にも誰にもわからない。全ては幕閣の判断である。だがなんであれ決着がついた。ぴりぴりと張り詰めた雰囲気は消え、城中、誰もが、ほっと胸をなで下ろした。

春海も、ようやくしつこい質問攻めから逃れることができて脱力した。

だがそれから間もなく、春海に別の事件が起こった。事件は義兄である安井算知《やすいさんち》によってもたらされ、春海にとって一生の出来事となった。つまり妻帯したのである。

二

「嫁……ですか？」

春海は、ぽかんとなって義兄の算知を見つめた。

知命の歳たる意気盛んな五十歳。鶴を連想させる長身痩軀《そうく》、なで肩で武威とは無縁だが、凜《りん》とした気品を僧形に漂わせている。

傍らに長子の知哲《ちてつ》を伴っており、こちらはふくふくとした少年のような二十三歳の若者だった。血色の良い頬に、丸っこい体形で、呑気《のんき》そうな、やけに愛嬌《あいきょう》のある相貌《そうぼう》をしており、どこか亀を思わせる。

鶴と亀がこちらを向いて並んで座っている。見ているだけでめでたい気分になるが、今回は春海の方こそ、おめでただった。

「うむ」

「おめでとうございます」

算知がうなずき、知哲が深々と頭を下げる。久々に、安井一家が揃っての出仕だった。会津藩邸で親族としての挨拶《あいさつ》が済むなり、算知の口から出たのがその一件で、春海はびっくりするというよりもまったく現実感が湧かず、

「しかし私は……身なりすら、この通りでありますが……」

まずそのことが口をついて出た。二十八歳となった春海は、前髪があることをつくづく恥ずかしいと思うようになっている。これはもう少年の髪形である。形は違うが、同様に前髪のある知哲を目の前にすると、その思いがさらに刺激された。

「酒井様は何とも仰せではなかろう」

算知にそう言われ、春海は複雑な気分になった。

まるで酒井に春海の姿恰好《かっこう》の決定権があるかのようである。だが実際、碁打ちには何の役にも立たぬ二刀を授けたからには、そこには春海を〝幕臣〟とみなす何らかの

意図がある。また二刀は、武家風俗の核心を成すものであり、それを授けられていながら春海の姿恰好に何のお咎《とが》めもないという事実は、逆に〝そのままでいろ〟という命令に等しい拘束力を発揮する。

だが果たして酒井がそこまで考えているか怪しいものだと春海は思う。春海のことを〝こいつはこういう奴だ〟と勝手に判断して、放ったらかしにしている怖れもある。曖昧《あいまい》で自由な立場に身を置き続けた結果で、誰が悪いと言えば、春海が悪い。いつの間にかそこから出られなくなっていたとしても文句も言えない。

「さておき、算哲《さんてつ》」

算知が口調を改めた。

春海は、自分の嫁取りの話題を、〝さておき〟で脇にやられて仰天した。まさか今ので話がついたことになったのか。そう訊こうとしたが遮られた。

「わしは碁所《ごどころ》に就く」

その算知のひと言、また既に聞き及んでいるらしい知哲の真剣な顔つきに、思わず春海も真顔になった。碁所《ごどころ》とは言うまでもなく碁打ち衆の頂点である。その座を巡り、かつて算知が本因坊算悦《ほんいんぼうさんえつ》と行った、鬼気迫る〝六番勝負〟の争碁《そうご》のことが思い出された。

「では兄上は、再び将軍様御前で勝負を……」

算知が碁所に就けば、本因坊道悦《どうえつ》がそれを不服として勝負を申し出ることになる。またそうせざるを得ない。〝六番勝負〟は引き分けに終わっており、こうしている今も、安井家と本因坊家とは碁所を巡り争う間柄である、と少なくとも碁打ち衆全員が思っている。だが算知が続けて告げたことは春海の予想を遥《はる》かに上回るものだった。

「道悦殿にはそれとなくお伝えしておる。だがわしだけではないぞ。お主たち全員がだ」

「全員……？」

咄嗟《とっさ》についていけない春海に、知哲が言い添えた。

「勝負碁の御上覧です、兄上様」

少年の無邪気とも言える気魄《きはく》のこもった声音だった。春海は目をまん丸に見開いた。この義兄は争碁を梃子《てこ》にして、碁打ち衆同士の勝負碁を御城に持ち込むつもりなのだ。過去の棋譜の再現である上覧碁に代わり、真剣勝負をもって出仕する。それがわかった。さすがの春海も緊迫を味わい、首筋のうぶ毛が逆立つのを覚えた。

「このままでは碁が死ぬ。碁は公家《くげ》のお家芸とは違う。安穏たる上覧碁ばかりでは、碁の新たな手筋は生まれず、いずれ将軍様にも飽きられ、廃れて衰亡するは我ら囲碁四家ぞ」

というのが算知の主張であり決意だった。己自身を勝負の坩堝《るつぼ》に投げ込むことで、本因坊道悦の主張する〝安泰〟に鋭く異議を唱える。そのために碁所就任という〝不利〟を背負う。

なぜなら碁所に就けば、それに挑む者に先番を打つ権利が与えられる〝定先〟の勝負となる。〝先手必勝〟は碁の定石の最たるもので、力量互角であればまず後から打つ者が敗北する。

だからこそ今まで誰も碁所に就こうとしなかった。だがそれも算知に言わせれば碁を衰亡させる原因の一つで、誰かが〝勝負の空白〟を埋めねばならない。

「ゆえに算哲、嫁をもらいなさい」

やっとその話題に戻った。算知を筆頭に、安井家は先のわからぬ勝負に躍り出す。その分、二代目安井算哲として安泰に努めよと言う。いちいちもっともで反論の材料は皆無だった。むしろ春海は自分でも意外なほど、勝負碁への興奮が込み上げるのを覚えた。〝飽き〟に苦しむ身からすれば算知の決意こそ救済なのだから当然であろう。

だが、一点、

(その女性は、私が算術や星に打ち込むことをどう思うだろうか)

疑問ともつかない疑問が湧いたが、口にはしなかった。

その晩、春海は藩邸の庭で星を見た。

庭には日時計の他に、小型の子午線儀と小象限儀《しょうげんぎ》を置かせてもらっている。小象限儀は北極出地で中間《ちゅうげん》たちが誤差修正に用いたものを譲ってもらったもので、何よりの思い出の品だった。

一通りの天測を一人で終えてのち、

(えんさんは、あの誤問を記した紙をどうしただろうか)

急に切ないような思いに襲われた。北極出地に旅立つ直前、えんの微笑みを見てから、もう五年が経とうとしているのだ。そう思った瞬間やっと〝嫁取り〟に実感が湧いた。

「まだ君は、あの問題を持ってくれているのかい」

星界の天元《てんげん》たる北極星を見上げながら小さく口にした。むろん返事はない。持っていて欲しいのかどうかもわからない。だがそれで良かった。わからないままで良かった。

それから間もなく、祝言はつつがなく行われた。

酒井の大老就任、山鹿素行の配流、そして春海の祝言。それら三つの出来事全てが、その後に到来する最後の事件に通じていたことを、間もなく春海は知ることになる。

三

日課が増えた。白粉《おしろい》に番茶の捧《ささ》げもの。向島《むこうじま》の咳除《せきよ》け爺婆《じじばば》の石像、八丁堀《はっちょうぼり》のお化粧地蔵、長延寺《ちょうえんじ》の牡丹餅《ぼたもち》地蔵、牛の御前《ごぜん》の撫《な》で牛。どれも〝病気平癒、健康祈願〟の御利益である。他にも、精のつく食べ物や薬湯や丸薬のたぐいがあると聞けば飛んでいって購入した。

全て妻、ことのためである。小柄で色が白く、とにかく蒲柳《ほりゅう》の質で、どうかすると熱を出す。それでいながら健気《けなげ》に自分は元気だと主張する。そんな妻を春海は精一杯に愛した。

ことは婚礼で初めて会った。まがりなりにも幕臣の端くれである安井家の長子が見合いをするわけがない。〝娘の顔かたちの品定め〟などもってのほかで、縁談は家格の釣り合い、お家の安泰が何よりである。そんなわけで春海は、京の実家で執り行われた祝宴でようやく、ことを見た。なんだか怯《おび》えたような気が張り詰めたような様子なのが、可哀想でもあり、また可愛らしいとも思った。

春海は二十九歳。ことは十九歳。どちらも遅い結婚である。

特に春海は遅い。それなのにおかしな髪形をしている自分が春海は恥ずかしく、またその髪形が相手を不安にさせているのではないかと真剣に思った。そのため、宴《うたげ》の後、花嫁花婿だけの〝饗《あえ》の宴〟も終わり、これからいよいよ床入りというときに、

「こんな男で不安でしょうか」

春海は真面目に訊《き》いてしまった。ことは、びっくりしたように、ぱっと顔を上げ、これも真顔でかぶりを振り、それから慌てたように顔を伏せ、

「不束者《ふつつかもの》でございますが、何卒《なにとぞ》よろしくお願い申し上げます」

誰かに、というか母親以外にいないのだが、繰り返し練習させられたような様子で、しっかりお辞儀をした。思わず春海も頭を下げていた。二人同時に顔を上げ、変な姿勢で目が合った。これがこの二人にとって、初めてまともに相手の顔を正面から見た瞬間である。が、すぐにまた二人とも頭を下げた。後で聞いたのだが、このとき、ことは顔を伏せながら、なんだか急に安心して笑いそうになる自分を頑張って抑えていたらしい。

春海としては笑ってくれても良かったのだが、実際に、ことが柔らかに微笑むようになったのは婚礼からひと月ほど過ぎてからだった。それからは頻繁に笑顔を見せるようになり、春海はほっとした。ことはいつも、にこにこと話を聞いてくれた。春海は特に、星について話すことが多かった。毎年、京と江戸を往復し、家を不在にせざるを得ないため、たとえ離れていても同じ星を見ているのだという風に淋《さび》しさを紛ら

わせてやりたかったのである。そして婚礼ののち初めて春海が江戸へ向から朝、

「ことは幸せ者でございます」

見送りながら、そう言ってくれた。言われた方がよほど幸せだった。

そんな次第で、春海が頻繁に妻ことのためにあちこち祈願して回り、また手紙をつけて何やらを贈る一方で、義兄の算知は、着々とその勝負の段取りを整えていた。

〝勝負碁〟については碁打ち衆の間で議論百出となったが、かの〝碁打ちの安泰〟を何よりとする本因坊道悦さえも、〝公家のお家芸〟という言葉にはうなずかざるを得なかった。それほど公家の学術衰退は深刻で、それを取り繕うための神秘化や儀礼化は、公家たち自身が嘆くほどだったのである。そうした議論の間、道策《どうさく》はと言うと、黙って目だけをきらきら輝かせていた。ときおり春海と目が合うと、あまりに澄んだ瞳《ひとみ》が怖いほど真っ直ぐ向けられて困った。

今や春海は、〝勝負碁〟を唱える安井家の一員である。道策は無言で、あの〝六十番碁〟を切望しており、いよいよ言い訳ができなくなった。

ほどなくして、ついに算知が碁所に就任し、道悦もまた覚悟をもって勝負に名乗り出た。そしてその後の決定は、碁打ち衆総員を騒然とさせた。

「二十番碁を命ずる」

という、空前絶後の争碁こそが将軍家綱の決定であった。つまりそれほど将軍家綱

が、碁に精《くわ》しくなり、白熱の真剣勝負を観覧したいと望んだということである。

当然、他の碁打ち衆の〝勝負碁上覧〟も現実味を帯びた。算知と道悦が互いに万全を期す一方で、いまだ上覧碁すら打つ立場にないはずの道策までもが、その若き烱眼《けいがん》ますます輝くばかりに燃やして春海に向けるのだから、否《いや》も応もない。いつしか春海も勝負の覚悟を抱くようになった頃、ある噂が城中で流れるようになった。

「徳川家のどなたかが、〝囲碁侍〟を領地に招きたがっているらしい」

というもので、春海はこの噂を一笑に付した。さすがに根も葉もないものと思わざるを得ない。おおかた酒井の寵愛《ちょうあい》を受けているという誤解に尾ひれがついたものであろう。

もし考えられるとすれば、安井家を厚遇する肥後守《ひごのかみ》様こと保科正之《ほしなまさゆき》だが、わざわざ会津に春海を招く理由がない。この頃には江戸の三田にも会津藩邸があり、保科正之は大抵そちらにいる。何年か前に罹《かか》った病のせいで視力が弱り、そのため滅多に登城せず、将軍家綱や幕閣の面々とは使者を通してやり取りすることが多いという。義兄算知が碁の御相手をするが、春海も、またその義弟の知哲も、まず滅多に会える立場にはない。

それに自分が会津に召致されては、ますます妻に会えなくなる。身体が弱い上に京に残されたままでは、ことが可哀想だ。それがその噂を聞いた春海の最初の感想だった。

だが、寛文七年の九月。

春海は確かに招かれた。ただし意外な相手ではない。過去にも何度か安井家の碁を所望されたことがあったからである。場所も江戸の御屋敷で、たった一日の滞在だった。

御相手は、〝水戸《みと》の御屋形様《おやかたさま》〟こと水戸光国公である。常陸《ひたち》国水戸藩の二代目藩主で、のちに水戸光圀《みつくに》と改名し、権中納言、つまり〝黄門様〟となり、やがて江戸の民衆の間で、漫遊譚《たん》の主人公として愛されることになる人物である。

非常に大柄で、威にして厳たる相貌《そうぼう》、剛健たる四十歳。

武芸を通して鍛えられた筋骨隆々たる見事な体軀《たいく》をしており、碁石を握る手など、春海の倍ほども広く分厚い。もし力任せに引っぱたかれたりしたら、やわな自分などその場で即死してしまうに違いない、と春海はこの人を相手に碁を打つときにいつも思わされる。

今でこそ立派な君主として名声を高めつつあったが、若い頃はとんでもない荒くれ者だったらしい。真偽は知らないが、徳川家の一員でありながら暴気の赴くままに闇夜を駆け、陰惨な辻斬《つじぎ》り行為に耽《ふけ》ったという怖い逸話がある。心の慰めが激烈な殺人行為だったという凶人・徳川忠長《ただなが》に、けっこう気性が似ているそうな。ただ、忠長はその狂暴がきわまり、ついには謀反《むほん》を疑われ、先代将軍家光の実弟でありながら切腹を命じられて果てたが、光国は違う。〝学問に対する感動〟が、その烈しい暴力衝動を解消させ、狂気を正しい好奇心へと昇華させる端緒となり、人生の救済となったのだ――と本人が語っている。

そんなわけで光国の学問への打ち込みよう、年毎に増大する好奇心はとてつもないもので、学術励行に藩の石高の三分の一を注ぎ込むほどだった。また〝食〟に関してはきわめて情熱的で、饂飩《うどん》の打ち方など、光国自身が独自に創意工夫を凝らし、並大抵の腕前ではない。春海も頂戴《ちょうだい》したことがあるが、もう抜群に美味《うま》かった。

だが問題は強烈な好奇心が常に発揮されることだ。たとえば光国は、朱舜水《しゅしゅんすい》という明《みん》の遺臣たる学者を招いて師としており、この人物から学問だけでなく、それはもう色んな料理を学んでいた。そのため春海も一度ならず〝拉麵《らーめん》〟なる脂っこい珍妙な麵《めん》食品や、〝餃子《ぎょうざ》〟なる腥《なまぐさ》い腐肉の塊としか思えぬしろものを食わされた。

また光国が愛飲するのは、血のように赤く、茶渋のような味がする、南蛮物の酒である。

珍陀酒《チンタざけ》（ワイン）とかいうそれを、得体の知れない乳製品や、様々な獣の肉とともに、招いた者たちに振る舞う。美食家というより織田信長なみの新しもの好きである。乳製品にしろ、豚や羊の肉にしろ、日本人の味覚からすれば、げてものも良《い》いところだった。春海も何度か、かなりの覚悟で口に入れ、無理やり飲み込んでは嘔吐《おうと》に耐えたものだ。そしてそんな様子を面白そうに笑うのが光国の趣味だった。

だが今回の光国はいつもと様子が違った。第一にあの深紅の酒を飲みながら碁を打っていない。出されるのは茶と茶菓子だけである。茶菓子も、麦を練って焼いたとかいう珍しい品ではあったが、口にした途端に悶絶《もんぜつ》しそうになるようなものではなかった。

また光国が振ってくる話は、なぜか数年前の北極出地のことが大半を占めた。天測の様子や星図の製作法など、春海が驚くほど専門的な知識に裏打ちされた質問を立て続けに放ってくる。そのためいつしか、建部《たけべ》が言い遺《のこ》した、あの渾天儀《こんてんぎ》の話題になっていた。

旅の後、春海は、江戸でも京でも夜ごと天測を行い、渾天儀の設計を試みているが完成にはほど遠かった。だが何としても成し遂げたい。もはや神に祈りながらの試行錯誤になっていた。それほどまでに渾天儀製作に打ちこんだ理由は、一つにむろん建部の想いを受けての奮闘だったが、またもう一つには、あの関孝和《せきたかかず》の存在があった。

正確には、関孝和が書いた最新の稿本に、徹底的に打ちのめされたのである。

そもそも、二度目に設問してのちは晴れて関孝和に会いに行けるはずだったが、何年も経った今も実現していなかった。次の設問がどうしたことか作ることができなかったのである。思い浮かばないのではなく、思いつきすぎて一つに定めきれない。そんな自分が無性に恥ずかしかった。また、完全な同年齢ということが今も春海の中に引っかかりを作っていた。年上であれば、あるいは年下であれば、素直に親交を持ち、その教えを乞《こ》えたかもしれない。だがそれができなかった。

稿本は、そんな春海に、村瀬《むらせ》が手ずから写し、春海の祝言祝いとして贈ってくれたものだった。春海は一読を終える遥《はる》か手前で、ほとほと関孝和の異才ぶりを思い知らされ、

（絶異）

その二字以外、しばらく何も思い浮かばなかった。それほどまでに優れた閃《ひらめ》きによる稿本だったのである。紙と紙の間に思索の火花が幾重にも走っているような思いがした。

（竜だ。このお人は、天から舞い降りた竜だ。天が地上にお与えになった天意の化身だ）

そうまで思い込んだ。心酔というより、もはや天の星を眺めているに等しい。彼我《ひが》の差の絶遠たることを、こうまで思い知らされては、ただ途方に暮れるしかない。

だが、ただそのままでいることを己の何かが許せなかった。関孝和に何としても三

度目の勝負を挑みたくなった。今それを行う資格が己にあることをどうにか証明したかった。その思いが渾天儀製作という難事に向けられた。亡き建部を弔う気持ちとともに、ほとんど縋《すが》るようだった。これだけは必ずやり遂げてみせる。なぜならこの渾天儀製作こそ、関孝和にも思いつかないような事業であるはずなのだから。もはやいじましいとさえ言える思考である。いまだ顔も知らない一人の男と親交を持ちたいがために、己をそこまで追い込んでしまうのが春海だった。

そんな性分が、自然と光国への応答にもにじみ出たのか、

「そなた、その渾天儀とやらを、独力にて成し遂げる気か?」

と真顔で訊《き》かれた。珍妙なものでも見るような目だった。

「いえ……、まずは古今の諸説、過去の記録に、先達のお力を頼る他にありませぬ」

これはまったく当たり前の話で、一人で全日本の天測を行えるわけがない。過去の膨大な資料を出来るだけ揃え、つぶさに検討し、星の位置と軌道とを計算し直す必要がある。

光国としては、まさしくその作業をたった一人でやるのかと訊きたかったのだろうが、このときの春海は、資料を求めねばならないこと自体が未熟のような気がしていた。これはもう、そう考えること自体が無茶だが、それが無茶だと思えないほど、関孝和の稿本に驚異の念を抱いていた。遥か彼方《かなた》にある関孝和の背に追いつきたい一心

だった。

ふーむ、と光国が唸《うな》った。この人が唸ると、虎が低く吠《ほ》えたような迫力がある。

春海は、はたと口をつぐんだ。もしかして光国の不興を買ったのだろうか。一瞬そんなとんでもない恐怖に襲われたが、

「そなた、余に似ておるわ」

なんと光国本人からそんなことを言われ、春海は危うく正座したまま跳び上がりかけた。

「か……過褒《かほう》にございます」

驚愕《きょうがく》する思いで頭を下げている。光国が若い頃に荒れていたのは、実の兄を差し置いて水戸徳川家を継いだことに対する申し訳なさゆえであったらしい。兄への申し訳ない思いを紛らわすためだけに、道行く無辜《むこ》の民を無差別にぶった斬ったという逸話の持ち主に、そんなことを言われる方が怖い。

「完成の暁には、余もその渾天儀を所望するぞ。良いな」

膝《ひざ》を叩《たた》いて光国が言った。完全に本気の眼差《まなざ》しである。春海は正直、虎の顎《あご》に己の首をくわえられた思いがした。これで渾天儀の製作に、建部の弔い、関孝和との勝負の思いに、光国という恐怖が加わったわけである。春海はこうなるといつもそうなのだが、完全に開き直って受け入れ、覚悟した。毒を食らわば皿までといった心境で、

きっぱりと告げた。

「は……私のような非才の身がいかに精進しようと、お目汚しにしかなりませぬが、そのお言葉を励みに、必ずや完成させてみせます」

そこで光国は小さくうなずいた。目は春海ではなく、どこか宙を見ていた。

妙に見覚えのある仕草だな、と春海は思った。いったいいつどこで見たのか。咄嗟《とっさ》に思い出せぬまま、光国の新たな話題に応じていた。星々と神々の話から、神道について色々と訊かれた。光国は会津の保科正之公と同じく、儒学と神道に傾倒している。

このとき春海は、〝風雲児〟こと京の山崎闇斎《あんさい》から学んだことを、自分なりの解釈を織り交ぜつつ述べるうち、先ほど感じた疑問のことは綺麗《きれい》に忘れ去っていた。

そのため疑問を再び思い出したのは、翌日、城中でのことで、今や大老たる酒井忠清が、碁を所望したのである。光国の翌日に酒井。これは春海ならずとも何かある、と思わされるのに十分である。春海を用いて城中に〝何かあるぞ〟と公言するようなものだ。

そして酒井はいつもそうであるように、ぱちん、と軽くも重くもない淡々とした音を響かせ、定石一辺倒の手を打ちつつ、

「ときに会津の星はいかがであった？」

いきなり訊いてきた。数年前の北極出地のことで酒井が何か質問するのはこれが初めてである。このときようやく、春海は、光国の仕草を思い出していた。正確には、それが、

〝退屈ではない勝負が望みか〟

と問われ、春海が応じたときの、酒井のうなずき方にそっくりだったということを。それは、治世を預かる者が、配下の者の吟味を終えたときの仕草なのだ。目の前の人間に、かねて用意されていた事案を申し渡すことを決めたときの無意識の動作。今の春海にはそれがわかった。長年、春海が抱かされてきた、〝なぜ酒井が自分などを気にかけるのか〟という疑問に、ようやく答えが出されるときが訪れたのだと。

「夜気が澄み、大変観測し易うございました」

春海は静かに告げ、盤上の布石に合わせて石を置いた。そうしてから相手の言葉を待った。

果たして大老酒井はきっちりと定石を外さぬ一手を返してきた。

それから、今初めて本当の目的を——本当は誰の意図であったのかを明かすように、告げた。

「会津肥後守様が、お主と、お主の持つ天地の定石を、ご所望だ」

春海が二十九歳のときのことであった。

四

寛文七年、秋。

春海は、会津へ向かって江戸を発《た》った。道すがら、これがどういうことなのか自分なりに考えてみたが、いくら首をひねってもさっぱりわからなかった。

今や大老たる酒井〝雅楽頭〟忠清が、六年も前に、一介の碁打ちである自分に刀を帯びさせ、そしてその後、北極出地の事業に参加させたのは、ひとえに会津肥後守こと保科正之の意向を受けてのものだったのである。それはもはや間違いない。が、何のためか、という点は依然として皆目不明だった。保科正之に碁をもってお仕えする義兄の算知もわからないと言う。

そもそも幕府要人の意図をあれこれ考えたところでわかるはずがない。ただ粛々と従うばかりである。だがしかし、今回は相手が相手だった。

保科正之は、二代将軍徳川秀忠《ひでただ》の実の子、紛れもない〝御落胤《ごらくいん》〟である。

実父秀忠との面会はついに叶《かな》わなかったとはいえ、三代将軍家光は、この異母弟に絶大の信頼を寄せて事実上の副将軍として扱った。のみならず今の四代将軍家綱の養育を正之に任せ、その後見人に据えて幕政建議に努めさせている。さらに臨終の際、

家光は正之を病床に呼び、

〝徳川宗家を頼みおく〟

と言い遺《のこ》したという。まさに徳川幕府の陰の総裁が保科正之だった。

しかも御落胤の権威を盾に君臨するのではなく、あくまで要請されての幕政参加である。

その証拠が〝輿《こし》による登城〟だった。四年ほど前、正之は重い病に罹《かか》り、高熱で視力が衰弱し、喀血《かっけつ》して倒れた。血を吐けば当然、労咳《ろうがい》が疑われる。正之は死病を覚悟し、政務から退いて会津藩を子に継がせ、隠居することを幕府に願い出た。

が、なんと将軍家綱はこれを認めず、逆に特例として〝体調の良い日だけ登城せよ〟〝登城には輿を用いて歩行を最小限にせよ〟といった措置のもと、あくまで幕政建議に参加し続けるよう命じている。五十過ぎの病み衰えた正之を、それでも将軍その人が、幕政に不可欠の存在とみなして手放そうとしなかったのである。

信頼を通り越して守り神のごとき扱いだった。しかも幕府のみならず京の朝廷までもが過去、正之の会津藩藩政、江戸幕政、両方を善政と称《たた》え、〝従三位《じゅさんみ》下中将〟に叙任しようとしている。

しかしこれが大老を超える高位であることから、正之は〝序列の乱れ〟になるとして丁重に辞退した。ところがこのときも将軍家綱その人が、叙任を受けるよう正之に命じ、そのため正之は〝中将〟のみ受ける旨を上奏したが、今度は朝廷がそれを拒み、結局、〝正四位下〟叙任を正之に納得させた、という逸話がある。正之の晴朗謹厳の態度に、ときの大老、老中、みな感銘を受けることしきりであったそうな。

もはや生ける伝説である。それほどの人物に自分が招かれるというのが春海には不可思議でならない。しかも会津への召致である。幕政に関わり続けることを将軍から命じられている正之にとって、江戸こそ本拠地のはずだ。春海を会津に呼ぶということは、正之本人も会津に移動せねばならない。なんとも異常な事態である。

この召致が、何かを春海に命じ、そして万一それが失敗したとき、幕府に傷がつかないようにするためのものであることは容易に想像がつく。

それだけの何かがある。そう思うと昂揚《こうよう》と恐怖の両方に襲われ、変な想像ばかり膨らんだ。

最も怖かったのは、隠密《おんみつ》でも頼まれたらどうしよう、という想像である。

だがここまで目立つ隠密など聞いたこともない。北極出地でさえ隠密ではないかと疑われたし、大老から目をかけられている碁打ちというだけで、大名たちが春海を警戒すること甚だしい。そんな人物に、今さら隠密を命じたところで、何の用も為《な》さない。

結局あれこれ考えるうちに会津の鶴ヶ城《つるがじょう》に到着してしまい、そこで春海は、予想を遥《はる》かに超える手厚さで迎えられた。家老たる田中正玄《まさはる》から労《ねぎら》われ、城の一室を与えられ、しかも到着した翌日に、保科正之へのお目通りを約束されたのである。長年、碁をもって仕えてきた安井家ならではの厚遇などというものではない。もう歓待されているに等しい。春海としては有頂天になるよりも、ますます何があるんだろうと怖さで震え上がった。

怖くなればなるほど開き直るのが春海の常だが、このときは容易にそれができずにいた。

翌朝まで怖さを引きずり、昼すぎになってやっと怖さが麻痺《まひ》してきたところへ、お呼びがかかって心臓が破れそうなほどの衝撃を覚えた。

それでも何とか気を取り直し、よろめかぬよう踏ん張って拝謁の場へ赴いている。

予想に反して城主の部屋へは招かれず、中庭に面した大部屋に通された。

驚くほど飾りがない。襖《ふすま》は白一色。衝立《ついたて》にすら模様が一つもない部屋に、その人がいた。

日当たりの良い場所に、ぽつんと坐《すわ》っており、深々と平伏する春海は、

「よく来た、安井算哲」

優しい声に顔を上げ、その、ただ坐っている相手の姿を目にしただけで、はっと驚いた。

坐相《ざそう》というのは、武士や僧や公家《くげ》を問わず、一生の大事であり、日々の修養の賜物《たまもの》である。坐ったときの姿勢作りに、品格や人徳までもがおのずからにじみ出る、というのが一般的な所作挙動における発想だが、春海が見たのは、およそ信じがたい姿だった。

不動でいて重みが見えず、〝地面の上に浮いている〟とでも言うほかない様相である。

あたかも水面《みなも》に映る月影を見るがごときで、触れれば届くような親密な距離感を醸しながら、それでもなお水面の月を人の手で押し遣《や》ることは叶わないことを思い起こさせる。

そんな神妙深遠の坐相をなすのは、痩顔《そうがん》細身に深く皺《しわ》を刻み、病が癒《い》えてのちもさらに視力衰弱し、白濁しかけた両目を優しげに細める、齢《よわい》五十七の一人の男であった。

不思議なことに、そこにいるのは、ただの男だったのである。というのも顔を上げたその瞬間、春海の脳裏から、目の前の人物が将軍家の御落胤であり、幕府要人であり、会津藩藩主である、といったことがらが綺麗《きれい》に消えていた。正之の坐相によって余計な思いを瞬く間に消された。そして、ただ目の前にいる保科正之という人物に、心服しきっていた。

「大きゅうなったの、算哲。我が眼《まなこ》にも、大きゅう、一人前になったのがよう見える」

驚くほど真情のこもったお声がけだった。確かに春海は幼少のとき、父である算哲とともに拝謁しているが、こうまで春海の成長を喜ぶような言葉を受けるとは思わず、

「御過褒《ごかほう》、恐れ入ります。いまだ万事にわたり未熟な身にございます」

春海は、するすると自然な返答が己の口から出るのを覚えた。声に自分でも意外なほどの嬉《うれ》しさがにじんでいた。

と同時に、〝見える〟という正之の言葉から、部屋の無装飾ぶりの理由を悟った。どこにも飾りや絵がないのは、質素を重んじる以上に、その方が、弱った正之の目にも、人の移動をとらえて判別するのが容易であるからであろう。

さらには、あの水戸光国に自分が招かれた理由が、かちりと音を立てて頭の中ではまった。

あれは、視力衰えた正之が、自分に代わって春海という人間の最終的な吟味を、光国に頼んだのだ。実際に正之に確かめずとも、自然とそれがわかった。

「ま、そう硬くならず、まずは楽しもう。これ、誰《たれ》かある。富貴《ふき》、富貴」

正之が手を打って呼ぶと、近習たちと一人の女が現れ、

「はい、ただいま、大殿様。それでは失礼してご用意をさせていただきます、算哲様」

碁盤と碁石、茶を用意し、火鉢を置くなどして、てきぱきと座を整え、

「富貴、算哲に茶を振る舞っておくれ」

「ただいま、さあさ、どうぞお召し上がり下さりませ、算哲様」

「は……いただきます」

「どうぞどうぞ、何なりと御用をお言いつけ下さりませ」

にこにこと愛嬌《あいきょう》のある笑顔でそう言うのは、正之の側室〝富貴〟の方である。視力の衰えた正之の身辺を世話するうちに寵愛《ちょうあい》を得たという女性で、今年二十三歳。いつもは正之とともに江戸にいるそうだが、今回、何かと助けが必要な正之に付き従って会津に来たらしい。

美しい目鼻立ちをしているが、それだけではなく、快活で温かい雰囲気があり、

「さ、碁盤が置かれましてございますよ、大殿様。隣にある火鉢の炭は多めに焚《た》いておりますので、少し離して置いてありますよ」

と意図して口数を増やし、どこに何があるのか、誰が何をしているのか、目の弱い正之にもわかるよう配慮する。それが押しつけがましくならず、ごく自然な調子に聞こえ、また周囲を明るい気持ちにさせるのが、この女性の魅力であるのだろうと春海は思う。

「さ、どうぞお座り下さりませ、算哲様」

富貴の方に促され、春海は碁盤の前に着いた。普通、正之を差し置いて先に座るべきではないのだが、この場合、春海がそこにいる姿がぼんやり見えることが正之の助けになると察せられたので、遠慮せず背筋を伸ばして座っている。

果たして正之は春海を追うようにして碁盤の前に移り、微笑んで言った。

「先代算哲とよう似ておるな。振る舞いが敏、坐り姿が柔らかじゃ」

「は……父の代より安井家一同、肥後守様にはひとかたならぬ御恩を賜り、心より感謝申し上げます」

「口ぶり律儀な点も似ておる。よい、よい、楽しもう」

近習が隣室に下がり、富貴の方は正之のそばに残って碁笥《ごけ》から石を取るのを手伝った。

正之の希望で一子も配せずの対局となった。正之は碁の達者で知られている。春海の父・算哲を招いたのも、少年だった正之の碁がべらぼうに上手《うま》く、城で勝てる者がいなかったからだという。その評判を知る春海にも異存はない。が、さすがに正之の打った手には驚愕《きょうがく》した。

ぴしりと盤上に響いた音は、視力が朧弱《ろうじゃく》となった者とは思えぬ鋭さである。坐り姿と同じく感服すべきものであった。だが、問題は打った位置だ。

碁盤のど真ん中。すなわち〝天元《てんげん》〟に打ち込んだのである。

〝初手天元〟

春海は思わず一呼吸分じっとそれを見つめてしまった。それからそっと相手の表情を窺《うかが》った。まさか目が不自由なせいで位置を誤ったのだろうか。そう思ったが、

「昨夜は、色々と考えた。二代目算哲を負かす手筋はなかろうか、とな」

正之の微笑みから、意図して打ったことがわかった。

それどころか白濁しかけた正之の双眸《そうぼう》に、恐ろしいまでの〝勝負〟の光を春海は見た。

このお方は真剣勝負を望んでおられる。それを悟った。とても指導碁の気分ではない。そんな気分はその一瞬に捨《と》てた。さもなくば気持ちで負かされるか、あるいは、

「勝負に勝てども、命を奪られる」

という場合があった。今ではあまり聞かない言葉だが、過去の棋譜の中には、そのように負けた方を評価するものがある。実際、春海の父である初代安井算哲など、たとえ負けても対局者にそう言わしめる打ち手であった、と義兄からしばしば聞かされている。

不覚悟の打ち方は安井家の名折れとなる。そんな思いまで湧いた。僅《わず》かに思案し、打った。

「左上辺、緯《よこ》に四、経《たて》に三、にございます」

自然と、相手を気遣い、打った位置を口にしていた。正之が小さく微笑んでうなずいた。

富貴の方が黒石を差し出し、それを正之が淀《よど》みなく打った。右下辺に布石、六手目から先読みの攻防となり、ぐいぐいと正之が勝負を進めた。暗譜通り打っているのかと思えるほどの異常な手の速さである。春海はひたすら正之の攻めをかわし、天元の意図を探り、果たして中盤に至って中央寄せ合いの形が明白となるや、切りに切って成就を防いだ。

これほどがむしゃらに叩《たた》き合ったことはついぞないと言うほどの鬩《せめ》ぎ合いで、いつしか春海が無言で打ち、代わって富貴の方がときおり石の位置を正之に告げるようになっていた。それほど余念許さぬ勝負となったのだが、蓋《ふた》を開けてみれば結果は春海の二十一目勝ち。面目躍如の大勝である。しかし一局終わって、どっと春海の全身に汗が生じて流れた。

それでも気息の乱れを察知されないよう、〝残心の姿勢〟を保って盤上の石を整理している。一局終えたからといって気が緩むようでは碁打ち衆の一員とはとてもいえない。

呆《あき》れたことに正之も同様に石を整理し、地目を数えつつ残心の姿勢でいる。正之もとっくに地目の差は把握しているのだろう。すぐに次の勝負を、と言い出さないところに並々ならぬ迫力がある。春海は正直、舌を巻いた。とても自分が大勝した気分になれなかった。ちょっと次の勝負はわからないとさえ思った。

ところが正之の方から、ふっと気息を緩めるように笑い、

「勝てぬな。昨夜、さんざん工夫を考えてはみたが、うむ、さすが二代目算哲よ。見事じゃ」

そう言って白髪頭を撫《な》でている。富貴の方もくすくす笑って、

「大殿様、残念でございました。お強うございますねえ、算哲様」

「いえ……我が生命を握られた思いでございました」

つい素直に言った。追従《ついしょう》でも何でもない。まるきり本音だった。同時に、碁とは、こんなにも面白いものだったのだと新鮮な歓《よろこ》びを抱かされた。何とも言えぬ充足感とともに、ほとんど生まれて初めて算哲と呼ばれることを誇らしく感じていた。正之もまんざらではなさそうに、

「うむ、うむ。富貴、儂《わし》と算哲に、改めて茶湯を振る舞っておくれ」

朗らかに指示し、富貴の方が下がったかと思うと、

「そなた、人の生命を奪ったことはあるか」

さらりと訊《き》いてきた。あまりにさり気ない問い方で、うっかり普通に、はい、と返事をしそうになった。遅れて意味が訪れたその分、喩《たと》えようもなく怖いものを秘めた

問いに思われた。

春海は慌てて気を引き締め、神妙になって、

「いえ……滅相もございませぬ」

答えつつ、いったいどういう話題であるか推し量ろうとした。まさか本気でこの自分が殺人沙汰《ざた》を犯したことがあるかと訊いているのか。あるいは、よもやそれを自分に命じるための布石だと言うのか。困惑とともに言いしれぬ怖れを感じる春海に、

「儂はある。いくたびも、な」

正之は、富貴の方が近習とともに茶道具を用意し茶を淹《い》れるのをよそに、枯淡とした風情で、きわめて殺伐とした話題を口にした。

「衰えた眼《まなこ》の裏に、数多《あまた》の屍《しかばね》が見える。特に、白岩《しらいわ》の郷の者たちは何としても消えてはくれぬ。今も三十五人が、磔《はりつけ》にされながら、儂に陳情の眼差《まなざ》しを向けておる」

「……三十五人」

その数字に春海はただ戦慄《せんりつ》した。そんな数の死人を見た経験などなかった。明暦の大火のときでさえ惨状を人づてに聞くだけだったのである。

「みな儂が命を奪った」

悲嘆を通り越したようなひどく乾いた声音で、正之は静かに語った。それは保科正之という人間の、人生を賭《か》けた大願の吐露であり、それはまた同時に、春海をこの地

に招くに至った、隠された真意がついに明かされる瞬間の到来であった。

五

白岩は山形に隣接する天領、すなわち幕府の直轄地である。

かつては酒井家の分家である、酒井〝長門守《ながとのかみ》〟忠重《ただしげ》の所領であったが、圧政によって千余の飢人《きにん》を出し、領民の困窮が怒濤《どとう》の一揆《いっき》を呼んで家老が殺害される結果となった。

酒井忠重は領地没収。事態は収拾に向かったが、のち再び、代官の圧政が一揆を誘発した。

正之はその頃まだ会津藩主ではなく、山形に封ぜられていた。そして一揆勢に襲われて逃げて来た白岩の代官を保護した時点で、一揆の仕置きに直面したのである。

正之ときに二十八歳。かの〝島原の乱〟が終結した直後だった。

断固とした仕置きが為《な》された。正之は即座に、一揆主犯格であり直訴に訪れた三十五人の処刑を命じたのである。それも、騒ぎを起こさせぬため数人ずつに分け、いったん城内に秘《ひそ》かに入れた上での一斉捕縛であった。また幕府への相談もなく、正之独断の仕置であったことが非難された。幕府天領の村民を、いかにも謀殺めいた仕方で、幕府に断りなく勝手に処断した。

そして正之へのその非難は、決して大きなものとならず、逆に、

〝肥後守、さすがの英断〟

と、やがて評価する声の方が高くなった。

というのも島原の乱後、武家《ぶけ》諸法度《しょはっと》には新たに、

〝国家大法に叛《そむ》き、凶逆の輩《やから》あるときは、隣国は速やかに馳《は》せ向かいこれを討伐すべし〟

というような改正がなされている。正之はこれに従ったのである。またそれだけでなく、他ならぬ正之こそ、この改正建議を行った当人だった。その背景には、

〝なぜ島原の乱は起こった？〟

という正之の疑問があった。そして臣下たちに、島原の一揆が長期間にわたる籠城《ろうじょう》事件と化した原因をつぶさに調べさせ、やがて答えを得た。一揆勃発《ぼっぱつ》時、他藩が幕府の意向を待って鎮圧に協力せず、対岸の火事として袖手《しゅうしゅ》傍観の態度を取ったことが、一揆を叛乱《はんらん》にまで成長せしめた第一原因だったのである。

正之はそのことを幕閣に進言し、武家諸法度の改正の運びとなったのだという。

だが保科正之の非凡さは、そこで疑問をやめなかったことにある。

〝なぜそもそも一揆は起こる？〟

腹の底には、いったい誰が好き好んで三十五人もの哀れな民を磔にして晒《さら》すものか、という行き場のない激情があった。そのような残虐をもってしか治め得ない世とは何なのか。己がなしたこの虐殺の背景には、いったい何があるのか。

〝凶作、飢饉《ききん》、饑餓《きが》〟

調べれば調べるほど、飢苦餓亡が領民を暴発せしめる第一原因なのだと確信された。そしてそこで正之の天性とも言える、〝疑問する才能〟が大いに発揮されることとなった。

〝なぜそもそも凶作になると飢饉となって人は飢える？〟

およそどの大名も疑問にすら思わなかったような、根源的な問いを抱いたのである。それは同時に、戦国から泰平へと世が移り変わる上での思想の変転そのものだった。覇道に奔走する者たちにとって、災害救助や飢饉救済など、ある程度は美談である。しかし結局は、

〝贅沢《ぜいたく》〟

に過ぎない。凶作は天候によってもたらされ、天候は天意であった。その天意の結果、地に飢民が生ずるというのは、人の身でどうこうできるものではなく、

〝仕方なく慎む〟

べき事柄であった。いたずらに騒いで神に祈ったり対処したりすれば出費がかさみ、

領国を疲弊させる。そのため飢饉の折には、領主は自己の人徳を慎み、領民は彼らの道徳を慎む、良い機会とすべきである。そういう発想こそ常識だったのである。

むしろ民が飢えるときこそ治世に都合が良く、みなに質素倹約の貴さを教える好機である、というその常識を、正之は根こそぎ否定した。そしてただ否定するだけでなく、

〝凶作において重税を課し、領民を疲弊させるばかりでなく飢えに陥らせるのは、慎みでも質素倹約でもなく、ただの無為無策である〟

と断定した。さらには、

〝凶作において飢饉となるのは蓄えがないからである〟

というきわめて単純な解答を出し、

〝なぜそもそも蓄えがない？〟

となおも疑問を続けた。

〝民のために蓄える方法を為政者たちが創出してこなかったからである〟

と過去の治世の欠点を喝破し、

〝凶作と飢饉は天意に左右されるゆえ、仕方なしとすれども、飢饉によって饑餓を生み、あまつさえ一揆叛乱を生じさせるのは、君主の名折れである〟

という結論に達したのである。

これこそ正之という個人が到達した戦国の終焉《しゅうえん》、泰平の真の始まりたる発想の転換となった。

正之はまず、将軍とは、武家とは、武士とは何であるか、という問いに、

〝民の生活の安定確保をはかる存在〟

と答えを定めている。戦国の世においては、侵略阻止、領土拡大、領内治安こそ、何よりの安定確保であろう。では、泰平の世におけるそれは如何《いか》に、という問いに、

〝民の生活向上〟

と大目標を定めたのである。これが諸大名のいわゆる善政と画然と違うのは、幕政と藩政の両方において発揮されていったことにある。そしてまたその政策が、ことごとく、戦国の常識を葬っていったことにあった。

たとえば、江戸の生活用水の確保として計画された玉川上水の開削は、正之の強力な建議に、松平〝伊豆守〟信綱などが賛同して進められたが、これに幕閣の多数が反対した。

〝長大な用水路の設置は、敵軍侵入を容易にしてしまう〟

というのが反対の主な理由である。これに正之は、

「今いかなる軍勢が江戸に大挙して押し寄せてくるというのか」

と強力に反論し、ついには幕閣の説得に成功して、江戸を縦横に巡る巨大な水道網

設置の運びとなったのだという。

また明暦の大火の際も、正之は数々の決断と説得を行っている。

火災に襲われた米蔵を民に委《ゆだ》ね、〝米の持ち出し自由〟として米俵を運び出させて延焼を防ぎ、同時に鎮火後の被災者への食糧支給とした。

火災後の治安悪化の第一原因が、食糧不足による物資高騰によるものと見抜き、参勤していた諸藩を国元に帰らせ、また江戸出府を延期させた。江戸の人口を一時的に減らし、需給の調整をはかることで物資高騰を防いだ。

被災地に治安維持のための軍勢を置くことは、食糧不足を加速させるだけであるとして反対し、あくまで物資確保、家屋提供、被災者救助による情勢安定に努めさせた。

火災後の天守閣の再建を見送るよう主張し、火災時に民衆が退路を確保出来るよう、行き止まりの多い複雑な道路ではなく、通行に便利な道作りを提唱した。その上で、正確な江戸地図を作製し、普及させることを訴えた。

貯蓄を放出し、人口を減らし、治安維持部隊を置かず、天守閣を建てず、通行しやすい道路を作り、都市地図を一般に配布する――戦国の〝防衛〟の概念からすれば、どれもこれも非常識も良《い》いところで、まさに自殺行為と誹《そし》られるべきことだ。しかし正之は迷いなくその概念を覆した。幕閣の面々を一人一人説き伏せ、焦土化した江戸を、

〝民の生活向上〟の場として新たに甦《よみがえ》らせようとしたのである。

しかも、この火災において正之の息子である正頼《まさより》が、冷寒の中で消火活動にあたって病となり、急死している。正之の悲痛と憔悴《しょうすい》は甚だしく、将軍家綱も幕閣も、揃って慰労を勧めたが、正之は息子の亡骸《なきがら》を会津に送り、〝忌み御免〟をもって喪に服すことをせず、焦土と化した江戸の復興において、数多《あまた》の建議を行い続けていた。

そんな正之の悲願とも言うべき民生政策への転換が大いに実る節目となったのは、それから六年後の寛文三年。

春海が、あの北極出地を終えて江戸に帰還した年、とりわけ二つの重要な政策が成就した。

一つは、武家諸法度のさらなる改定であり、かねて正之が主張してきた、

〝殉死追い腹の禁止〟

が初めて制度として成立したのである。そもそも徳川家は、初代家康が殉死を〝無駄〟として嫌ったことから、追い腹は決して奨励されていない。また幕府が奨励する朱子学も、〝蛮族の習慣に過ぎない〟といった感じで殉死を否定している。

にもかかわらず、主君の死に殉じて切腹して果てることには、戦国の世が培った、

〝武士とは何か〟

という思想と、その発露の場を求める、武士たちの烈しい潜在的願望があった。

泰平の世になり、主君と命運をともにした経験などないはずの下級武士たちが、むしろその経験の欠落を埋めるようにして、まったく必然性がないまま、

〝似合わぬ仕儀〟

などと貶《けな》されるのも構わず、続々と主君の死に殉じて腹を切ることが流行したのである。

武士という概念が生んだ、強烈な自己実現の方法であり、容易に消しうるものではなかった。

だが正之は、その半生を戦国の常識を葬ることに費やした男である。この武士の殉死追い腹は、厳罰をもってでも禁じるべきものとした。そういった彼の改革の成果が武家諸法度であり、それはとりもなおさず、江戸幕府がまた一歩、戦国から遠のいた証《あか》しでもあった。

そして同年。

〝天意の前には仕方なく慎む〟

という戦国の常識を、ついに藩政において転覆せしめた。

〝社倉《しゃそう》〟

の成功である。これは正之が、侍儒として招いた山崎闇斎などの学僧らとともに実

現させた制度で、朱子学の書にある飢饉救済の策をもとにしていた。領内の収穫の一部を貯蔵させ、その中身を領民に貸し与え、利息を得て増やす。そして凶作の年にはことごとく放出し、救済となす。その一方で、父のない家、身よりのない老人、孝行者などを選んで支援した。

まさに現代における年金制度、福祉政策の嚆矢《こうし》とも言うべき制度である。しかも会津藩はこれを、僅《わず》か数千俵の米の貯蔵から開始している。そして八年後のその年、社倉は領内二十三ヶ所の設立となって大いに機能し、果ては五万俵余りの貯蔵量に増大した。

この制度は同時期、幾つかの藩が実施を試みているが、〝冷貧の地〟などと呼ばれた会津藩が成し遂げた成果に及ぶものはない。正之が抱いた〝饑餓《きが》は君主の名折れ〟という思いを反映するようにして、なんと凶作の年にも他藩に米を貸すほどの蓄えとなり、ついには、

〝会津に飢人《きにん》なし〟

と評されるまでに至ったのである。

先ほどのような真剣勝負に比してひどく穏やかな石の音を響かせながら一局が進んだ。

正之の話も、終始勢い込むことがないまま続けられた。

近習たちも富貴の方もいつしか隣室に下がり、春海はこの偉人と二人きりで相対しながら、ただ感嘆の念に満たされている。いったいどれほどの使命感がこの保科正之という人間を動かしてきたのか。幕閣ばかりではなく、武士の伝統に、この新たな時代そのものに影響を及ぼし、侵略と防衛ではない、〝民生〟による権威の大転換を志したのである。

余人の、春海のような一介の碁打ちの思い及ぶところではない。そう春海自身が驚異の念とともに思った。あの江戸城天守閣の喪失に〝新たな時代〟を感じた春海にとって、それを建議した人物が目の前にいるというだけで、異常な興奮にめまいがしそうだった。

豊臣家に最後まで仕え続けた石田三成《みつなり》が処刑の前に引いたという『史記』の言葉ではないが、〝燕雀《えんじやく》いずくんぞ鴻鵠《こうこく》の志を知らんや〟と言われているような気がして、呆然《ぼうぜん》となるばかりである。

むろん保科正之という個人が事の全てを運んだわけではない。将軍家綱や幕閣の要人を始め、おびただしいほどの人々の呼応と協調がなければ到底不可能なことである。

だがそれでも、正之という賢君の気質を具《そな》えた人がいてこそ幕府は短期間でその大転換を成し得たのではないか。事実、このときの春海には知り得ないことだが、のちに将軍家綱の〝三大美事〟として称《たた》えられることになる、〝殉死追い腹の禁止、大名証人（人質）の廃止、末期《まつご》養子の禁止の緩和〟は、いずれも正之の建議がもとになっている。

特に、末期養子の禁止は各藩の取り潰《つぶ》しに直結する。その緩和は、十数万規模と言われる無職浪人の発生と政情不安を、かなりの規模で抑えている。

当然、それら正之の建議は、烈しく守旧の者たちと衝突してきたことだろう。

だが正之の特質は、その衝突すら常に緩和させ、共感へと変えてきたことにある。

「善策の数々……まさに孫子《そんし》の〝道〟と存じます」

思わず春海は言った。為政者と民とが共感し合い、ともに国家繁栄に尽くすことが〝道〟である、というのは軍事兵法の祖たる孫子の理想である。それを軍事否定の正之が体現しているというのは、皮肉というより、それこそ新たな時代にふさわしい価値変転であるように思われてならなかった。とは言え、春海が学んだ兵法の学は孫子の教えだけなので、他に具体例を連想できなかっただけなのだが、

「〝武〟は放っておけば幾らでも巨大になり得る化け物でな。〝久《ひさしき》を貴ばず〟というのは、つまるところ、武は常に〝久〟となる機会を狙っておるということだ」

などと、正之も春海に合わせて、孫子の教えを例にしてくれた。

〝久〟とは持久戦のことで、孫子はこれを国家衰亡の原因として、行うべきではない

と強調している。だが、正之が口にしたことは、それにまた別の解釈を加えてのことであった。

「かの太閤《たいこう》豊臣秀吉も、それに呑《の》まれて滅んだようなものであろう。明国との合戦のため、朝鮮へ規模甚大の兵を赴かせ、南京への天皇遷都を目論《もくろ》むなど……〝武〟という怪物に抗《あらが》えなんだのがようわかる。おそらく太閤自身、合戦を終わらせたくとも終わらせられなんだのだ」

朝鮮出兵は、豊臣秀吉が犯した最晩年にして最大の失敗である。十数万規模の恐るべき出兵を断行しながら成果は皆無。日本に有利な貿易体制すら築けなかった。むしろ悪化した対日感情が朝鮮全土に広まり、貿易も文化交流も阻害されて大いに国益を損なうばかりか、日本国内でも出兵で疲弊した武将たちの恨みが、子々孫々、今の世にも尾を引く有り様だった。

「終わらせたくとも……でございますか？」

だがその点は春海も初耳だった。豊臣秀吉はあくまで戦いを継続させようとしたのであり、その死によって、ようやくの終戦となったのではなかったか。

「戦国の世が終わり、泰平となって、何がなくなるか、わかるか、算哲？」

逆に訊《き》かれた。盤上は互いに悠々とした定石の打ち筋である。春海にとっては、ほとんど無思考で返せる手ばかりだが、話題はどれも普段の思考でついていけるもので

はなく、

「……合戦がなくなります」

つい、馬鹿らしいほど当たり前の答えを告げていたのだが、正之は大いにうなずき、

「ゆえに主君は家臣に与える褒賞に欠き、民は多くの賄いを欠く。ちょうど今のこの碁盤のように、どんどん地目が定まり、新たな石を置けず、生き場所が消える。それで、新たな土地を求めざるを得なくなり、国の外に兵を放り出した」

春海はぽかんとなった。そんな考えは抱いたことすらなかった。だがそれが真実であることが、すとんと腑《ふ》に落ちた。家臣に与える褒賞とは、新たな領土である。民の賄いとは、武器や荷駄、糧食や木材や衣服やその他、合戦で消費される多数の品の売買である。それらがなくなるとどうなるか。家臣に褒賞を与えられない主君。消費されない商品を抱えた民衆。武士もそれ以外の民も同時に生きるすべを失い、世は脱出不能の大不況となる。

「武は、のさばらせれば国を食う。食わせるものがなくなったとき、太閤は滅んだ。武断の世が滅ぼしたのだ。そして大権現様《だいごんげん》（家康）が江戸に開府されたとき、同じ轍《てつ》を踏まぬため、何より集めねばならなかったのが、黄金でな。その量、実に六百万両ほどになるか」

「六百万両……」

目を剝《む》いた。咄嗟《とっさ》に想像がつかない。それほどの黄金を、たとえば今いる部屋に積んだらどうなるか。おそらくほとんど積めずに黄金の重量で柱が砕けて部屋が倒壊する。そんな量の黄金を国内だけで産出できるわけがない。国外からも大量に買い込んだに違いないことはわかるが、実際に思い描くことすら難しい、空前絶後の貯蔵量である。

「その六百万両が、じきに尽きる」

だが淡々と正之が言った。こうもあっさりと徳川家の秘事を口にすることに啞然《あぜん》となった。

が、しかしそれ以上に、単純に言っている意味がわからなかった。六百万両がなくなる？　いったい何に費やせばそれほど莫大《ばくだい》な財産が消えるのか。だが春海の一部は、このとき既に答えは語られていることを理解していた。

「武の断行せし世を、黄金で変えたのだ。辛くも間に合った、といったところか……」

保科正之の大願たる〝民生〟への大転換は、正之の個人的な理想という側面ばかりではなかったのである。徳川幕府が自ら握った〝覇権〟という名の怪物によって滅ばぬためのゆいいつの道が〝泰平〟だった。江戸はそのために生まれたと言ってよく、さらには日本全国の社会の仕組みそのものを作り替えるため、莫大な財産が消費されたのである。

「とてつもない奢侈《しゃし》と冗費をも生んだが……根づかせねばならぬ教えは大いに広まった。〝下克上《げこくじょう》〟を消し去ること……それだけは確かに間に合ったと言えるであろうな」

春海も思わずうなずいた。正之の言う〝教え〟とは朱子学である。そもそも朱子学が奨励された狙いは、

〝たとえ君主が人品愚劣であっても、武力でこれを誅《ちゅう》し、自ら君主に成り代わろうとしてはいけない〟

という思想の徹底普及にあると言えた。武断の〝道徳〟はその逆、下克上である。弱劣な君主を戴《いただ》けば国が滅びる。より優れた者が君主に成り代わるのが当然なのだ。そうした戦国の常識を葬り去ることこそ、正之のみならず歴代の幕閣総員の大願であり、

「そのために幕府は多くのものを奪ってきた。儂《わし》もずいぶんとそれに加担した」

そう言って正之は微笑んだ。やけに悲哀の漂う微笑み方だった。

「武将の素質ありとみなされた大名たちを、お家取り潰しの憂き目に遭わせてきた」

正之の口調から、その方策が決して褒められたものではなく、奸計《かんけい》と呼ぶべきものが多分にあることを春海は察した。徳川幕府による数々の大名改易《かいえき》、取り潰し、減封は、およそ綺麗事《きれいごと》で済ませられるようなものではない。常に悲劇を生み、中でも徳川

家の血を引く大名君主たちの処断は、美談で糊塗《こと》される余地すらない、骨肉相食《あいは》む逸話ばかりである。

「幕府の教えに仇《あだ》なす学問は、ことごとく葬ってきた。いかに聖き教《きょ》えであろうと、生きながら棺《ひつぎ》に入れ、蓋《ふた》をし、地に埋めた」

その言い方から、春海は卒然と、あの城中に漲《みなぎ》っていた、ぴりぴりとした空気を思い出した。

山鹿素行の『聖教要録』出版の罪を巡る処断。あれも、正之の建議によるものだったのだ。

明言はされずとも今はっきり理解できた。

山鹿素行の思想は、あくまで今の武士がどう生き、どう民の上に君臨するかを説くもので、民生の視点はほとんどない。それは旧来の武士像の理論化であり、ひいては正之が否定した、

〝天意の前には仕方なく慎む〟

という考えに戻る。幕府の課題、正之の大願、どれとも相容《い》れない。ゆえに江戸追放だった。

春海には、正之のひと言ひと言がずしりと重かった。内容のせいだけではない。なぜ自分にそれを語って聞かせるのかが問題だった。なんだかまるで自分にも正之と同

じように、何かを殺せと言っているのだとしか思えない。だがいったい、何をか。

「武断を排《しりぞ》け、文治を推し及ぼす……それこそ徳川幕府の為《な》すべき〝天下の御政道〟でなくてはならぬのだ。そして今、そのための、まったく新たな一手が欲しい」

そう言って正之は、ぱちんと石を置いた。重々しい話題とは裏腹に、碁自体は、あくまで純粋に楽しんでいるような打ち筋である。春海もおのずと幾つもの手筋が思い浮かび、いつまででも打っていたくなるような気持ちにさせられていたのだが、

「それは、いかなるものでございましょう？」

問いつつ、何気なく打とうと上げた手が、正之のひと言で、宙に凍りついた。

「その前に、難儀とは思うが、この老人に、宣明暦《せんみょうれき》というものについて教えてくれぬか」

さながら落雷のようにその言葉が春海を直撃した。俄然《がぜん》、脳裏に何かが甦《よみがえ》った。咄嗟にそれが何であるかわからず狼狽《ろうばい》が顔に出そうになったが、はたと理解した。

欠けた月。

伊勢で、建部と伊藤《いとう》とともに観測した月蝕《げっしょく》だった。そのときの建部と伊藤とのやり取りが急激に甦るのを覚えながら、春海は震えそうになる手にしいて力を込め、

「八百年余の昔……我が国に将来されし暦法にございます」

言いつつ、ぴしりと盤上に石を置いた。正之は小さくうなずいて新たな石を手に取

っている。何も言わない。次の一手を考えながら、ただ春海の言葉を待っている。

「長き伝統を誇る暦法ですが、今の世に、その術理はもはや通用しておりません」

「なにゆえであろうか？」

石を置きつつ惚《とぼ》けたように訊《き》いてくる。春海は、ここに至って不遜《ふそん》を怖れず告げた。

「八百年という歳月によって、術理の根本となる数値がずれたからでございます」

それは近頃、算術家や暦術家の間で、半ば公然と議論されることがらであった。春海も、その術理を検証し、かつて建部と伊藤が言ったことが真実であることをようやく理解している。

宣明暦の暦法に従えば、一年の長さは三百六十五・二四四六日である。

だが実際の観測に照らし合わせると僅《わず》かに一年より長い。その誤差は百年でおよそ〇・二四日。八百年では実に二日の誤差となる。それがただの空論でない証拠に、宣明暦に従う全ての暦が冬至と定める日よりも、二日も前に、最も影が長くなる本当の冬至が過ぎていることは、多くの暦術家がその観測をもって認めるところだったのである。春海はそうした点を告げ、

「冬至の他にも、朔《さく》や望、いずれは日月蝕の算出にも支障をきたすこととなりましょう」

「いずれ蝕の予報を外すか」

「は……」

「では、〝授時暦《じゅじれき》〟というものについて教えてくれぬか」

それが二度目の落雷となって春海を打った。息苦しいまでの緊迫に襲われた。話がどこに流れていくかが突如としてわかってきた。だがなぜ自分にそれを言わせるのかという疑問は拭《ぬぐ》えず、それが異様な緊張を春海の身に及ぼしながらも、精一杯の気魄《きはく》を込めて言った。

「かつて発明されたあらゆる暦法の中で、最高峰と称されし暦法でございます」

太閤豊臣秀吉による朝鮮出兵で阻害された文化輸入が再開されてのち、特に求められた学問は、第一に朱子学、次が天元術などの算術、そして授時暦の暦法であった。

かつて、蒙古《もうこ》族が宋《そう》と金《きん》を打倒し、元を樹立したとき、彼らの暦は滅亡した金の〝大明暦《だいめいれき》〟を用いていたという。だがこの暦法は誤謬《ごびゅう》が多く、皇帝フビライは改暦を欲した。そのために招聘《しょうへい》されたのが、許衡《きょこう》、王恂《おうじゅん》、郭守敬《かくしゅけい》の三人の才人たちである。

許衡は、古今の暦学に精通する博覧強記の人。王恂は算術の希代《きたい》の達人。郭守敬は器械工学の天才。これら三人が、精巧きわまる観測機器を製作し、五年の歳月を費やして天測を行い、持てる才能の限りを尽くして改暦を行ったのである。

その精確さはずば抜けており、特異な算術を開発し、観測結果を照応して、一太陽年の長さを三百六十五・二四二五日と定めるに至った。これはのちの世で言う〝グレゴリオ暦〟の平均暦年と同じ値である。その暦法をなす算術は多くの点で優れた特色を持ち、〝招差術〟などの術理は全て、この授時暦を通して日本に輸入されていた。

のみならず、授時暦が内包する数多《あまた》の術理が比較検討されることによって初めて〝算術の体系化〟という概念が日本に根づいたと言って良かった。

そうしたことを喋《しゃべ》るうち、いつしか春海の中で緊張を興奮が上回った。声口調も自然と熱っぽいものになっていった。授時暦こそ中国暦法の最高傑作であり、春海はそれを十代の頃に京で学んでいたが、今の歳になってようやくその素晴らしさに開眼したばかりで、

「星はときに人を惑わせるものとされますが、それは、人が天の定石を誤って受け取るからです。正しく天の定石をつかめば、天理暦法いずれも誤謬無く人の手の内となり、ひいては、天地明察となりましょう」

自然と、いつか聞いたその言葉が口をついて出た。あの北極出地の事業で、子供のように星空を見上げる建部と伊藤の背が思い出され、我知らず、目頭が熱くなった。

「天地明察か。良い言葉だ」

正之が微笑んだ。先ほどの殺伐とした枯淡さはなく、穏やかで、ひどく嬉《うれ》しげだった。そしてその微笑みのまま呟《つぶや》くように言った。

「人が正しき術理をもって、天を知り、天意を知り、もって天下の御政道となす……

武家の手で、それが叶《かな》えられぬものか。そんなことを考えておってな」

半ば盲《めし》いた正之の目が、そのとき真っ直ぐに春海を見据え、

「どうかな、算哲、そなた、その授時暦を作りし三人の才人に肩を並べ、この国に正しき天理をもたらしてはくれぬか」

それが三度目の、そして正真正銘の落雷となって、春海の心身を痺《しび》れる思いで満たした。

「改暦の儀……でございますか」

すなわち八百年にわたる伝統に、死罪を申し渡せということだった。

ぱっと江戸城の天守閣と、その喪失後の青空が浮かんだ。あれと同じことをしろと言われた気分だった。守旧の象徴を破壊し、この世に新たな、未知の青空をもたらせと言っていた。

咄嗟《とっさ》にそれがいかなる影響を世に及ぼすのか想像することさえ困難をきわめた。六百万両を想像しろというのと同じだった。とても想像力が及ばない。だがいずれにせよ、幸福感なのか緊迫感なのか、なんとも判別しがたいものが血潮となって烈しく身を巡るようだった。

「そうだ。今、その機が熟した。そなたという希有《けう》な人材の吟味も滞りなく済んだ。算哲よ。この国の老いた暦を……衰えし天の理を、天下の御政道の名のもと、斬って、

くれぬか」

そのための二刀、そのための北極出地であったのだ。

なぜ春海が刀を帯びていなければならないか。それが武士像の変革になるからだ。他ならぬ武家に関わる者が、暴力ではなく文化をもって、新たな時代に、新たな時の刻みをもたらす。

それが判明してなお、春海の中ではまだ余裕にも似た気持ちが残っていた。まさか自分のような者にそれほどの事業を率先して行わせるはずがない。精神の逃げ場と言っていいそれを素直に吐露するように尋ねた。

「ふ……不肖の身なれど、粉骨砕身の努力をさせて頂きます。それで……どなたのもとで尽力すればよろしゅうございましょうか？」

正之の目が僅かに見開かれた。春海の勘違いでなければ、正之が初めて見せた、きょとんとした顔だった。それからみるみる笑顔になり、ゆっくりとかぶりを振った。

「そなたが総大将だ、安井算哲。そなたのもとで人が尽力するのだ」

今度は春海の目がまん丸に見開かれた。精神の逃げ場がその時点で完全に消滅した。たちまち息が詰まり、先ほど感じた血潮が一瞬で恐怖に凍りついた。

「い……い、いかなる思《おぼ》し召しで……、そ、そのような身に余るお役目を……」

「みながみな、同じ名を口にした。改暦の儀……推挙するならば、安井算哲を、とな」

「み、みな……？　と申しますと……」

「水戸光国」

正之が言った。ぱっと春海の脳裏にあの剛毅《ごうき》な顔が浮かんだ。

「山崎闇斎」

春海の幼いときからの師であり、正之の侍儒だ。これまた春海の脳裏で豪快に笑っていた。

「建部昌明《まさあき》、伊藤重孝《しげたか》」

その二人の名が挙げられた途端、ふいにまったく予期せぬものが込み上げてきた。

〝精進せよ、精進せよ〟

建部の楽しげな声が甦《よみがえ》り、

〝頼みましたよ〟

今まさに伊藤に優しく肩を叩《たた》かれた気がした。

おそらく建部は事業から外れてのち、伊藤は事業成就の後、それぞれ春海を推挙していたのだ。そう悟った途端、視界がぼうと霞《かす》み、目に純然たる歓《よろこ》びの涙がにじんだ。

「安藤有益《あんどうゆうえき》。そなたも知る通り、我が藩きっての算術家だ」

春海はうなずいた。声が出なかった。まさか安藤までもが。堪《こら》えきれず肩が震えた。

「酒井〝雅楽頭〟忠清。あの大老殿、そもそも暦術に興味など持ち合わせてはおらぬが、そなたには、いささか感ずるところがあるようでな。星のことはとんとわからぬが、算哲という者の熱心さは、信ずるに値する、と言うておった」

「し、しかし、わ……私は……この通り、若輩者でございます……」

「若さも条件だ。何年かかるかわからぬ事業であるゆえ、な」

途端に、あの酒井の、

〝生涯かかるか〟

という言葉が、何年ぶりかに、胸に心地好《よ》く響いた。その瞬間ようやく心が定まった。たとえようもない使命感に身が熱くなった。

「まことに……私で、よろしいのですか」

すっと正之の背が伸びた。

「安井算哲よ。天を相手に、真剣勝負を見せてもらう」

からん、ころん。

ふいに幻の音が耳の奥で響いた。咄嗟にそれが何であるかわからなかった。わからないまま、強烈な幸福感に満たされていた。いつか見た絵馬の群れの記憶がよぎった。が、そうとはっきり認識する間もなく、春海は、たまらず衝動的に座を一歩下がり、平伏し、いた。

「必至！」

叫ぶように答えた。反射的に口から出たそれが、勝負の語彙《ごい》でもあると遅れて気づいた。

正之が愉快そうに笑った。

「頼もしい限りだ、安井算哲」

それが父の名であるという意識が、初めて春海の心から綺麗《きれい》に消えていた。

六

部屋へ通された。部屋と言っても、城の武家屋敷が並ぶ一画にある空き家である。

事業の執務および資料蒐集《しゅうしゅう》のために割り当てられた家宅で、既に書籍や頒暦《はんれき》が一角に積まれ、筆記具と紙とが贅沢《ぜいたく》なまでに準備されていた。案内の者が下がり、春海は突っ立ったまま室内を見回した。こぢんまりしているとはいえ武家宅を丸ごと与えられたのである。碁打ちの身分を超えた待遇であり、保科正之の本気さが如実にあらわれていた。

ここで寝起きするのだ。ここを改暦事業の最前線の陣地、最新鋭の研究の場とせねばならないのだ。そう思い、改めて緊張を感じたとき、力強い足音とともに最初の事業参加者が現れた。

「六蔵！」

これは春海の幼名だ。十年以上も前の名なのだが、呼んだ方は十年後も引き続き同じ名で呼ぶつもりでいる。久々の再会を喜びつつも、春海は呆《あき》れ顔で言った。

「山崎先生、いい加減、その名で呼ぶのはおやめ下さい」

「いっちょう前に、賢振《かしこぶ》るようになりよって、こいつめ、こいつめ」

だが男は破顔し、さも嬉《うれ》しそうに、春海の肩を痛いほど叩いてくる。今年五十歳とは思えぬ頑健な体軀《たいく》をしており、ほとんど身に脂肪がない。髪形こそ独立不羈《ふき》の学者らしくあえて剃髪《ていはつ》せず総髪のままでいるが、むしろそのせいで廻国《かいごく》修行中の武芸者にしか見えない。深い智慧《ちえ》をやどし、生半可な知者の群れを踏み潰《つぶ》して歩く岩石。それが、春海に幼時から神道を教え、またその他の技芸の師を紹介してくれた、希代《きたい》の〝風雲児〟こと山崎闇斎であった。

「改暦の儀、よう拝命したの。どや、怖くて震えとんのじゃぁないかあ？」

京訛《なま》りだかなんだかわからぬ、なんともでたらめな喋《しゃべ》り調子である。仏僧になり儒者になり神道家になり、各地で師を求めた末に、京に腰を落ち着けた所為《せい》らしい。言葉の訛り方からして自己流で、しかも本人はそれを誇っている節があった。それでも為政者たちの前では立派な学僧として凜然《りんぜん》たる説教を行うのだから不思議である。

「震えてなどおりません、山崎先生」

きっぱり返した途端、ばしんと背を叩かれて春海はよろめいた。この師匠、喜ぶと言葉より先に手が飛んでくる。

「ほんまに立派になりよったのお、六蔵。亡き父君もさぞ喜んどるやろなあ」

しみじみと大きくうなずく闇斎の背後から、さらに二人が現れた。

一人は、なんとあの安藤有益で、春海に対するなりきちんと礼をし、

「大任おめでとうございます、渋川《しぶかわ》殿」

と言った。それも同輩に対する礼ではない。上司に対する慇懃《いんぎん》さだった。既に春海のことを事業の中心人物であり、全権を委《ゆだ》ねるべき相手と認めているのだ。その安藤らしい実直な態度に、春海は妙にじんときた。これは渋川春海という個人を敬っているのではなく、この事業の大きさと、何より発起人たる保科正之への畏敬《いけい》ゆえの礼だった。途方もなく大きなものへ立ち向かおうとする連帯感を抱きながら、

「ありがとうございます、安藤殿。我が気魄《きはく》の限りを尽くし事業を完《まっと》う致します」

春海も相手に合わせ、しっかりと礼をし、熱っぽく告げた。

そうして最後の一人と相対した。

「それがしは島田貞継《さだつぐ》と申します。安藤とともに事業成就に尽くすよう主君より仰せつけられております」

と安藤にも増して丁寧に礼をするのは、今年五十九歳になろうとする老人であった。

「島田様……御高名、かねがねお聞きしております」

春海の声にも、自然と感激の念がこもった。島田は安藤に算術を指導した師の一人であり、まさに会津藩屈指の算術家である。痩顔《そうがん》に亀裂《きれつ》のごとき深い皺《しわ》を帯び、黒目がちの両眼は、半生をかけて磨き抜いた老境の知性の輝きを発している。

実に、この四人が事業の中核であった。中でも春海は群を抜いて若かった。他にも若く優秀な藩士たちが六名、助手として働く手はずであることが安藤から話された。だがその者たちとてみな三十代である。二十九歳という自分の年齢を思うと、それこそ闇斎の揶揄《やゆ》ではないが、正座をした尻《しり》の下で両足が震え出しそうな緊張を覚えた。

だが四人が十字に向き合い、それぞれ真剣一途《いちず》な顔つきになって最初の話し合いを始めるや、一同の事業への熱意が部屋に充満し、緊張などあっという間にどこかへ行ってしまった。闇斎の気宇壮大、安藤の堅実、島田の練達、彼ら一人一人の意見が、存在が、心底頼もしかった。春海はむしろ三人それぞれの言葉を拝聴するように話を進め、事業の基本方針を立てた。

「授時暦、いまだ究められず」

という島田の言葉が、事業の第一指標となった。中国史上最高峰と誉れ高い授時暦だが、その暦法を完全に修得した日本人はまだいない。まずはその暦法の修得、検討、実証が不可欠だった。

「私の知る限り、授時暦の暦法の要《かなめ》は、精妙にして不断の天測にあります」

そう安藤が意見し、第二指標が定められた。授時暦は何より星々の観測結果を重視した暦法である。数多《あまた》の結果から、特定の法則を導き出すという特異な算術を実地に修得するためにも、春海たち自身が同じように天測を行うべきだった。

「腐っても八百年の伝統や。覆すんなら、先に立てとけ、いうんが計略でしょう」

闇斎がそう言って第三指標を定めた。宣明暦という〝由緒正しい〟ものに匹敵するほどの何かを用意せねば、いくら算術において授時暦が正しくとも、この国の知識層も民衆も受け入れてくれない。何しろ多くの算術家たちによって円周率の近似値が三・一四と証明された今もなお、巷間《こうかん》の技術職人をふくめ一般民衆は、三・一六という旧《ふる》くから伝わる円周率の方をありがたがって使用するのが現実なのだ。

「国事文芸の書はもとより、漢書も片っ端からや」

と闇斎は言う。この国の文芸は基本的に公家《くげ》の様式、つまり日記である。日々の記録、儀式の記述であり、必ず暦註《れきちゅう》というものがつけられた。何月何日にどんな儀式が執り行われ、どんな出来事が起こったか、その日が十干十二支のいずれに該当するかが明らかであってこそ文芸だった。そうした様式に当てはまらない学芸書を取り沙汰《ざた》しても公家層や宗教勢力には普及せず、また講談のように民衆受けもしない。結局は一部の特殊技術者の間でだけ議論されるものとなってしまう。よって正統な文芸書の暦註を検証し直すことで、宣明暦よりも授時暦の方が、伝統を受け継いでゆく上でふさわしい暦法であることを示し、世の新しい常識として定着させる。それが闇斎の意図だったが、

「ちと膨大に過ぎませぬかな」

島田が思案げに反駁《はんばく》した。授時暦の研究と天測と並行して、それほど大量の書物の暦註を検証するとなると、助手全員を動員してもまず人手が足らない。

「物好きはけっこうおるもんでしてな。恰好《かっこう》の人材がおります」

だが闇斎はにこにこ笑っている。闇斎がこういう罪のなさそうな笑顔を見せているときほど、とてつもない難題を誰かにふっかける気でいることを春海だけが知っていた。

「あの、先生……というと、どなたのご協力を仰ぐおつもりでしょうか？」

恐る恐る訊《き》くと、闇斎はやっぱり平然とした顔で名を挙げた。

「岡野井《おかのい》玄貞《げんてい》、松田順承《まつだじゆんしよう》。どっちも嫌とは言わん。何しろ学者冥利《みようり》に尽きる事業や」

二人とも京で高名な算術家にして暦術家である。特に岡野井は、京の内裏の医師として宮中に出入りし、公家層に広く名を知られている識者だった。

安藤と島田が頼もしげにうなずき合う一方、春海は何と言って良いやらわからず、

ひやひやした心持ちでいる。

岡野井と松田は、春海が十代の頃に師事していた相手だ。当時から闇斎には二人とも大いに振り回されていた。朱子学の世界生成の理論を算術的に証明してみせよとか、天照大御神《あまてらすおおみかみ》がこの世に出現したのは何月何日か算定せよとか、無茶な学術的難題を闇斎にけしかけられては七転八倒させられる二人の姿が如実に思い出された。

とはいえ岡野井も松田も学究篤志の人物である。改暦事業の四文字だけで感動に震え、我から尽力するに違いない。そういう二人の性格を知り抜いた上で、さんざん難題を与えてやろうという闇斎の底意に、春海は舌を巻いた。

大まかに指針が決まったあとは膳《ぜん》を用意させての酒宴となった。さすがに大声で気炎を吐き合うような宴席にはならず、礼儀正しく落ち着きをもって、互いの意気を汲《く》むものだった。下戸《げこ》の春海にも心地好《よ》い限りで、お陰でいたずらに昂《たか》ぶっていた心がほどよく静まった。さもなければ気が張りすぎて一睡も出来なかったに違いない。改暦事業の第一歩となったその晩、春海は真新しい寝具に包まれて心地好い疲労の中で眠った。

翌朝未明、怪鳥《けちょう》の声に叩《たた》き起こされた。

「きぃーぃいいいッぇえぇーええッ！」

という感じの金切り声が、突如として家の外で湧き起こったのである。

春海は、寝ぼけた頭で、誰かが自分を叩き斬ろうとしているのだと思い込んだ。自分が武家屋敷のある区画にいるのだということが頭の隅にあったせいかもしれない。城中で武士同士の斬り合いなど滅多に起こらぬが、ないことではなかった。布団から転がり出て、壁に顔をぶつけ、はたと辺りを見回した。誰もいない。と思うと、どこかで水の音がした。

春海は家を出て裏手の井戸端へ向かった。果たして声の主がいた。ふんどし一丁の闇斎である。この寒い中、頭から井戸水を浴び、全身から湯気を立ち上らせ、

「いーえいッ！」

と激しく〝息吹〟を吐いていた。神道式の呼吸法である。最近では神道の教義再構築に伴い、様々な身体の修練方法が確立されており、その中核が〝息吹息吸《いすい》〟の法だった。

流派によって型が違い、呼び方も異なる。〝鳥船《とりふね》〟〝永世《ながよ》〟〝雄健《おけけび》〟〝雄詰《おころび》〟など、いずれも古来秘伝を最新の学問のもとで再構成していた。本来の目的は、神憑《かみがか》りであり、呼吸法による長寿健康であり、心の浄化である。汚き、暗き心を祓《はら》い、日本人が古来最良としてきた理想の〝清明心〟に至り、それを保つ。そうして心身健全となり、日々を神意のもとで送る。

闇斎の息吹は中でも非常に猛々《たけだけ》しく、〝天沼矛《あめのぬほこ》〟という天地創造にかかわる特殊な印《いん》を結んだ右手を、裂帛《れっぱく》の気合いとともに振り下ろす。春海の拍手《かしわで》とは比較にならない激しさで、武芸者の鍛錬のようだ。実際、高名な剣術家たちほど、神道の呼吸法とその思想体系を採り入れている。今では神道と武道と学問の体系は、禅がそうであるように、渾然《こんぜん》一体となりつつあった。

そう言えば昨日、闇斎も家宅を与えられていると言っていたことを春海は思い出した。

そもそも春海が北極出地に赴く前から、闇斎は侍儒として正之に招かれているのである。

場所は春海が寝起きする家のすぐ裏手であり、その時点で、闇斎の毎朝の習慣のことも思い出すべきだったたと、春海はぶつけた顔をさすりながらぼんやり思った。

「おお、六蔵。なかなか早起きやな」

闇斎が春海に気づき、にっこり笑った。あなたの絶叫で起こされたのだと春海が言いかけ、

「どや、お前もやらんか」

汗を拭《ぬぐ》いつつ闇斎が遮った。春海がたじろいだところへ、安藤と島田がそろって現れた。他にも何人か藩士たちが集まってきている。みな闇斎の声に起こされたらしく、

眠そうな顔に、ほとんど整っていない髷《まげ》が乗っていた。

「おはようございます。ほな、みんなでやりまっか？」

闇斎がどこの訛《なま》りともつかぬ口調で、からっと呼びかけた。

「なかなかに勇壮ですが、見習うにとどめたく存じます」

安藤が苦笑するように言った。

さすがに井戸端という公共の場で朝から半裸になることには誰しも抵抗がある。神事の人間が御祓を行うのならまだしも、武士がやるのは、ちょっとはしたない。肌を見せるのは何も女だけの恥ではないのである。たとえば将軍家光から寵愛《ちょうあい》を受け、男色関係にあったともっぱらの噂の堀田正盛《ほったまさもり》などは、家光薨去《こうきょ》の際、

〝主君以外に、肌は見せまじ〟

と着衣のまま追い腹を切って果てたという。むろんこの会津城下で、男色の習慣がそこまで強いわけではないが、それでも衆目を気にせず諸肌《もろはだ》を脱いでいいものでもない。ただし裸体自体が恥なのではなかった。風呂《ふろ》など、湯水の不足から大勢で浴場を使用する男女混浴が一般的である。要は、時と場合によって、恥の感じ方が全然違うのだった。

そんなわけで春海は安藤が辞退してくれて大変ほっとした。ここでもし改暦事業の連帯を強めるために毎朝四人でふんどし一丁になろうなどと合意されようものなら、

どんな噂が立つか知れない。そして闇斎はそんな噂など歯牙《しが》にもかけない人物なのである。

闇斎のお陰で、みな早めの朝食を摂《と》り、さっそく春海の家に三人が集まった。まずは事業の第一指標である授時暦の学習の算段が整えられた。また闇斎はすぐに京の岡野井と松田に手紙を書き送っている。さらには春海の寝起きする家の小さな庭に、天測の道具が運び込まれ、助手たちの手で組み立てられた。指揮は春海が執った。北極出地の経験があるので当然だが、春海にとっては建部や伊藤といった頼れる上司がおらず、これからは自分が事業の計画を司《つかさど》らねばならないのだということを、たっぷり思い知らされるひとときだった。

その日はあいにくの曇天で北極星が確認できず、大がかりな日時計、大象限儀《しょうげんぎ》に子午線儀といった器具が正確に設置されたのは翌日の夜のことだ。雨よけのための大傘なども配された。

春海は既に見慣れていたが、下手な大道芸よりよほど勇壮なその器具の様子を見るために、垣根の外に藩士たちが群れ集って作業を見守った。

かくして天測の準備が整い、観測と技術修得の日々となった。かの北極出地のように場所は移動しないが、その分、思想・学問の面で縦横無尽の検証が行われた。

授時暦の根幹である算術について議論が繰り返され、闇斎も、春海が感心するほど算術の話題についてきた。暦法をいかに他の学問体系と融合させるかについての緒案が出された。闇斎がその妥当性を吟味し、春海、安藤、島田が、それぞれ算術面での術理修得をはかる、ということの繰り返しで、あっという間にひと月余が過ぎた。

その間、春海は京にいる妻ことや安井家の者と、何度か手紙のやり取りをしている。高価な公用便を無料で使わせてもらえるのが役得だった。これほど誇らしい思いで手紙を書くのは生まれて初めてである。ことは、事業を任された春海に、純粋に驚き、また喜んでくれ、逆に春海を勇気づけてくれた。

そしてその手紙を、気づいたら闇斎が読んでいた。

「おやめ下さい先生」

さすがに春海が呆《あき》れて咎《とが》めた。だが闇斎はまったく悪びれない。むしろ恭しく手紙を折り畳んで春海に返し、

「嫁御からか」

わかりきったことを訊《き》いた。

「そうです。先生が読むものではありません」

「いや」

春海が思わず鼻白むほど、威厳に満ちた闇斎の否定であった。

「地に人の営みあり、や。さもなくば神事も何も意味なしやでな。もっと返事をぎょ

うさん書いたらんかい」

　そう言って、やたら優しく春海の肩を叩いた。

「そういたします。それより勝手に読まないで下さい、先生」

「わかっとる、わかっとる」

　わかっているなら読むなと言いたかった。闇斎はやけに上機嫌でいる。以後、勝手に手紙を読まれることはなかったが、何かにつけて嫁御に手紙を書いてやれと言われた。

　一方で闇斎は、相次いで岡野井と松田から快諾の返事が来たのを良いことに、二人を難事業へとけしかける手紙をせっせと書いている。春海たちもその手紙のやり取りによって、大いに議論を進めることができた。授時暦の暦法についての岡野井と松田の指摘はもとより、闇斎の狙いどおり、二人とも数多《あまた》の文芸書の暦註《れきちゅう》検討を進んで行ってくれたのである。

　闇斎も闇斎で、この暦註検討の作業には凄《すさ》まじい情熱を発揮している。数ある書の中から、特に世相への影響力の高そうなものを選んで作業の対象にするとともに、この国の歴史を新たに授時暦によって統括するような神事の書の構想を、日に日に固めていった。

　そんな風に、とにかく多岐にわたる膨大な作業も、ようやく指針通りに事が運ぶようになってきた頃、新たに第四の指標が立てられた。

改暦による世の影響を考察せよ、という、保科正之その人による要請だった。この発想は、春海にもなじみがなければ幕府にもない。保科正之という名宰相だからこその発想だった。

あるものを世に適用するとき、それが学問的・技術的にどれほど優れていそうか、どれほど便利そうか、ということが重要だった。良さそうなら、とりあえず用いてみる。それが日本人の基本的な姿勢である。仏教はそのようにして導入された。切支丹《きりしたん》も最初は受け入れたが、貿易や植民地思想によって対立が生じ、ついには全面的な拒絶となって禁教令が発布された。

鉄砲や大砲はその最たるものだ。日本人の手で技術的に再現可能か、という点だけが大事で、それがどのような激烈な変化を世に及ぼすか、ろくろく考えずに国産から大量生産へ踏み切った。そして今では〝泰平の世になったのだから鉄砲は作るな〟という幕府の指導すら、まったく功を奏さない状態になってしまっている。

適用されるものが、その後、世にいかなる影響を与えるかを出来る限り予測した上で、最善の導入の算段を整える。それが保科正之の非凡な智慧《ちえ》であり基本的な政治姿勢だった。

春海は、事業参加者を代表し、その思案を必死にまとめあげた。良い影響も悪い影響も、考えつくものはことごとく列挙せねばならない。事業に邁進《まいしん》する仲間のことを考えれば、悪い影響のことなど念頭に置きたくもなかった春海だが、やがて作業が進むうち、自分たちのしていることが空恐ろしいほどの影響力を発揮する事業であることが判明して呆然《ぼうぜん》となった。

まず思案したのは宗教統制という側面である。幕府、すなわち武家が改暦を断行すれば、天皇から〝観象授時〟の権限を奪うことになる。天意を読みとくことは、古来、王の職務である。と同時に、宗教的権威そのものだった。これがほぼ幕府のものとなり、天皇が執り行う儀礼の日取りを、一日単位、一刻単位で支配するということになる。

これは全国の神事を、また陰陽師《おんみょうじ》の働きを、完全に統制することを意味した。日を決するということは、陰陽思想においては方角を決するということでもある。方違《かたたが》えの思想はいまだに根強い。ほとんど根源的な禁忌の念として根づいている。それをことごとく塗り替えるだけでなく、幕府のものとして全国に適用することになる。

時節を支配し、空間を支配し、宗教的権威の筆頭として幕府が立つ。朝廷の権威を低め、その分を幕府がことごとく奪い去る。かの織田信長ですら、宗教者たちに帰順を強要しこそすれ、その権威を我がものとして吸収しようとはしていない。

これだけで春海は恐怖を感じた。全国の大名たちが、この挙を見てなんと思うか。

天皇と朝廷から〝時〟と〝方角〟を定める権限を奪って将軍のものとすること。これが聖域冒瀆《ぼうとく》とみなされたとき、どうなるか。まさかとは思うが、戦にまで発展するのではないか。

たかが暦である。しかし考えるほどに、漠然とした不安を抱いた。

さらに春海の思案は、政治統制に及んだ。というより正之の指示によって、そこまで思案させられた。これは宗教統制と紙一重である。日取りを決定するばかりか、今日が何月何日であるか、ということの決定は、全ての物事の開始と終了を支配することに通じる。公文書における日付の重要性は、文芸書の比ではない。幕府の定めた暦日に倣わぬ公文書を作成したと言うだけで処罰の対象となりうる。そんな、いつなんどきでも、誰にでも、どんな難癖でもつけられるような甚大な支配権を幕府が持つ。そのことに対して諸藩が抱く反感はいかなるものであろうか。全国に熾烈《しれつ》な反幕感情を巻き起こすのではないか。

これは文化統制においても同じである。政務ばかりか文芸をも支配する。公家《くげ》の反応はどんなものになるだろう。とんでもない反発の嵐になるのではないか。想像するだに怖かった。

だが本当に恐ろしいのは最後の経済統制の側面だった。

頒暦《はんれき》というものが幕府主導で全国に販売されたとする。試しに春海は、頒暦を一部四分として計算してみた。米の売買に倣って、差料などの割合を勘案した。そうして単純計算で、全国の日本人が頒暦を幕府から買ったときの利益を算出してみたのである。

もちろん、全国の大名が幕府に報告する〝人口〟を参考にしての、単純計算しかできない。

どれほど精密に算出しても誤差は出るだろう。それを承知で、色々な計算方法でやってみた。

目を剝《む》いて言葉を失うほどの、莫大《ばくだい》な利益となった。

もちろん大権現様こと家康がかき集めた六百万両とまではいかないが、最低でも数十万両にはなる。そしてその利益が、確実に、年の始まりごとに入ってくるのである。

春海はこれを色々な方法で計算し直している。頒暦は複数の段階を経て各地に届けられるため、各地で料率ごとの利益が差し引かれる。全ての利益が幕府のものになるとは限らないのである。だが、計算し直すほどに、とんでもない額が出現した。

授時暦で用いられている算術には、複数の観測値を平均する様々な術理がある。これを、そのまま頒暦による利益算定に応用してみた。

その額、単純な石高に換算して、おおよそ年に七十万石。

もちろん、条件によってこの値は大幅に増減する。だが春海は己が出した値に驚愕《きょうがく》した。

　果たして今まで、誰も頒暦というものの利益をまともに計算した者はいなかったのだろうか。どの大名も、この金鉱脈のような商品を専売特許とすることを考えなかったのだろうか。いや、全国の神宮などは薄々それがわかっているから独自の頒暦販売に固執するのだ。そしてその利益を幕府が独占する。なんとも恐ろしい思いをさせられる数値だった。

　この単純な値を、幕閣に見せたらどうなるか。もし彼らがその利益を強烈に欲したとしたら。改暦に反対する者ことごとくを圧殺してでも成就させたくなるのではないか。

　そうなったときの利益の争奪戦を春海は色々に想像させられた。たかが暦だと何度も自分に言い聞かせねばならなかった。そして、されど暦だった。

　今日が何月何日であるか。その決定権を持つとは、こういうことだ。

　宗教、政治、文化、経済――全てにおいて君臨するということなのである。

七

　正之から与えられた第四の指標を、春海は〝天文方〟の構想としてまとめている。

幕府において新たに天文方という職分を創設し、暦法とその公布の一切を取り仕切る。

大まかな概略を、事業開始から三ヶ月ほどで組み上げ、正之に提出した。

視力衰えた正之は、それを家老に音読させている。そしてその日のうちに春海を呼び寄せ、近習さえ退けて、ほとんど密議に近いかたちでの話し合いを持った。

「恐るべしは暦法よな」

正之が言った。春海も真剣な顔で同意し、

「門外不出とせよ。今はまだ、な」

そう告げる正之の様子から、ふと悟った。この思案の結果を正之はとっくに承知していたのである。その上であえて春海に思案させ、同じ結論が導き出されるかどうか見計らっていたのだ。老齢に至って身を病にむしばまれ、視力をほとんど失いながらも、このお方は希代《きたい》の名君なのだ。春海は完全に感じ入り、戦慄《せんりつ》するような思いとともに、ただ深々と平伏した。

「不倶戴天《ふぐたいてん》」

ぽつりと正之が言った。

「そのような状態に、帝《みかど》と将軍家とを追いこんではならぬ。決してならぬ。そのときは国が二つに割れる。割れれば動乱となり、その果てに徳川家は滅ぶ」

はっきり〝徳川〟と口にした。間違っても天皇家が滅ぶとは思われない。それは歴史が証明している。日本のあらゆる諸勢力が、天皇家を滅ぼさせない。いついかなるときも、滅ぶべきは〝逆賊〟の方なのである。

「方策はあるか？」

「は……」

ここが思案の要点である。春海がこの事業に抜擢《ばってき》された何よりの根拠でもあった。安藤も島田も、もっと言えば正之自身も、京の事情には疎い。朝廷や公家というものを漠然としか理解していない。それに比べ、春海および闇斎は京に精通した人材だった。何しろ春海は碁を通して、闇斎は神道や諸学を通して、朝廷とその周辺の人物と交友関係にある。

「帝の勅令にございます」

と春海は告げた。

ときの天皇が〝改暦の勅令〟を発し、それを幕府が謹んで承る。基本はこれである。このかたちに持っていくためには、それこそ数限りない工作が必要であろう。だが少なくとも、全国の大名たちに、幕府が〝聖域冒瀆〟を犯したという印象を与えることはない。多くの難題が事前に解消されることになる。

「また、暦法にこそ権威ありとせねばなりませぬ」

それが次に肝心な点だった。天の法則がそうなっているのであり、決して幕府が恣《し》意《い》的に暦日を定めるわけではない、という姿勢をとことん見せねばならない。その危機回避のすべこそ算術だった。なぜなら、天皇がそろばんを弾《はじ》こうが、幕府の誰かが弾こうが、答えはぴたりと一致する。そういうものであれば恣意によって操作する余地などない。後は誰がそれを管理するかであって、勅令さえあれば幕府の管理に何の問題も生じない。

逆に、だからこそ日本全国に、今の暦法が誤謬《ごびゅう》を犯していることを知らしめる必要があった。そうすることで、帝も改暦を命じないわけにはいかなくなる。

また、それゆえ新たな暦法の中枢となる術理は厳重に秘する必要もあった。術理がいたずらに公開されれば、誰もが好き勝手に暦を作ることが可能となってしまう。幕府による改暦という権威の確立という点で、あらゆる対立を引き起こしかねない。特に、神社仏閣などは全国各地で独自の権威を主張し出すことは火を見るよりも明らかなのである。

これについても春海は既に結論を出していたが、口にしたのは正之だった。

「朱印状だな」

正之の微笑みが、春海と正之の思案がぴたりと合致していることを告げていた。

「は……幕府が〝天文方〟を通していずれかの勢力に宗教統括の朱印状を下すのです。

それができれば、多くの諍《いさか》いを未然に防げましょう」

春海が言った。朝廷が勅令を下し、幕府が朱印状を下す。それによって〝日本で最も公明正大な観象授時のための機関〞が設定される。

かつてない朝廷と幕府による協同文化事業である。これが実現すれば、朝廷と幕府が対立するどころか、互いにその権威を高め合い、盤石《ばんじゃく》の統制、巨額の利益共有となる。

「厳密な料率を定めねばなるまい」

正之が最後の難問を口にした。頒暦による巨利を、どの勢力がどのように分配し合うか。幕府が利益を独占すれば必ず烈しい不満の声が上がるし、頒暦の勝手な分配につながる。ただでさえ幕府は徐々に文化統制の態度を強め、不適切な書籍の刊行を罰しているのである。正之が断行させたように山鹿素行の配流《はいる》のようなことが、頒暦を通して頻発しないとも限らない。

しかも言論弾圧は、禁教令のようにはいかない。外国から来た宗教を追い出すのとは訳が違う。極刑をもって無理に抑圧すれば日本全国あらゆるところから不満が噴出し、その対応だけで頒暦販売による巨利を消費し尽くすだろう。改暦を行うことで、厄介な火種を幕府も諸藩も朝廷も背負うことになる。それでは何のための文化事業かわからない。

そうならないための頒暦料率はいかに。これこそ一朝一夕で定められるものでもなく、むしろ改暦実現の端緒において各種勢力に綿密な根回しを行うべきものだった。

まずはその最初の手はずとして、朝廷工作が実行に移された。

改暦の勅令こそ事業の最初の鍵《かぎ》である。朝廷には常に、幕府に対する反感が内在しているが、それを上手《うま》く緩和させながら、上奏に至るまでの道筋が慎重に検討された。

やがて年も暮れる頃、朝廷はこの改暦事業に対し、最初の返答を出した。

武家伝奏《てんそう》を介してもたらされたそれは、

「授時暦は不吉」

というものだった。

広間にいた。春海が正之と碁を打った部屋である。

上座の正之の前に、改暦事業に携わる四人がいた。正之に宛てられた朝廷からの返書の写しを、闇斎がみなの前で読み上げたばかりだった。正之がただ静かに瞑目《めいもく》して、あの深遠な坐相《ざそう》をあらわしているのとは対照的に、春海以下、改暦事業の中心たる四人全員、顔色がない。血の気が引くほどの怒りのせいである。

「不吉……？」

春海が震えながらその二字を信じがたい思いで繰り返した。

朝廷側の大意は、おおよそ以下の通りである。

授時暦は、元国のものであり、かの国の始元を司《つかさど》る暦である。そして元は日本に攻め入り、恐るべき元寇《げんこう》をもたらした国でもある。よってそのような国の暦を日本に適用させるのは、きわめて不吉なことであるので、帝は改暦の勅を下されない。

なんだそれは。馬鹿にしているのか。それが春海の偽らざる心情だった。安藤も島田も目をみはって宙を睨《にら》み、無言で同じ思いでいることをあらわにしている。

これが昨今の公家《くげ》の常套《じようとう》文句であり、旧慣墨守の態度だった。宣明暦というものがもはや誤差だらけの暦法と化していることになど一切言及しない。とにかく吉兆か凶兆か、神秘についての議論に終始し、その実は、変化への絶対的な拒否を表明している。

春海は膝《ひざ》の上で両拳《こぶし》を握りしめたまま気が遠くなるような思いに襲われた。怒りのあまり涙がにじんだ。よもやこんな返答が来るとは想像もしていなかった。

「屁理屈《へりくつ》こねおってッ、我らが請願を揉《も》み潰《つぶ》しおったッド阿呆《あほう》どもが！　だから八百年も学理衰える一方なのだ、あ奴らッ！」

怒れば怒るほど江戸風の口調になる闇斎が、まず吠《ほ》えた。

安藤も島田も言葉にならぬ唸《うな》り声で応じている。この数ヶ月の努力の全て、彼らが敬愛する主君の大願を、〝不吉〟の一言で片づけられたのである。普段は穏和な安藤

ですら、怒り壮烈の眼差《まなざ》しであった。師の島田が、どうにか鬱憤《うっぷん》を抑え、

「……相手が〝元寇〟を持ち出すならば、〝神風〟の伝もありましょう」

と反論の糸口を見出《みいだ》そうとするように口にしたが、闇斎はかぶりを振ってそれを止めた。

「無用の論争こそ、こ奴らの狙いですわ。吉だ不吉だと、ぐちゃぐちゃした話を延々続けられて、気づけば改暦のことは遠い彼方《かなた》、でしょうな」

島田が呻《うめ》いた。そのまま沈黙が降りた。四人が四人とも、怒りを抑えるので精一杯だったが、やがて不思議なことが起こった。

起こさせたのは静かに目を閉じ続けている正之である。その存在が、いつしかみなの思念を一点に集中させていた。そしてそのことを沈黙のうちに互いが察したのである。

春海が、この事業の指揮者としての責任感から、まず口に出した。

「機運は必ずや訪れます」

はっきり断言した。と同時に、この事業の発起人たる正之が、今なんの指示も下して来ていない理由を悟った。朝廷の返答に失望したのではない。今後、事業にとっての好機が、必ず訪れることを確信しているのである。

それを安藤も察知したらしい。大きくうなずき、

「ものの数年もかかりません」

と同意した。そして島田が、その後を続けて言った。

「いずれ宣明暦は蝕《しょく》の予報を外しましょうな」

闇斎がにやりと笑った。

「その日こそ、宣明暦の命日や」

全員が正之を見つめた。いつの間にか正之も目蓋《まぶた》を開いて四人を見ていた。

正之が微笑んで言った。

「いかなる蒙昧《もうまい》であれ、日と月を、万人から覆い隠せるものではない」

正之が微笑んで言った。その一瞬で、四人は新たな決意を固めた。

もはや宣明暦という過去の遺物に対して何の敬意も抱かなかった。

今後、日蝕か月蝕か、いずれかの誤報を犯すことは確かなのである。そのとき、日本全国の民衆が、宣明暦の無用さと、その無用の法をありがたがる朝廷の無学さを知ることになる。

本当なら春海はそんな風には思いたくなかった。それでは帝《みかど》の権威低下を喜ぶことになってしまう。だがこれは、真っ先に改暦に賛同せねばならないはずの安倍《あべ》家や賀《か》茂《も》家と言った、陰陽師《おんみょうじ》や暦博士たちの責任だった。帝をあらゆる局面において守護し奉らねばならないはずの朝廷の者たちが、帝の面目を潰すことになるのである。そのことについても、四人の間で、もはや容赦はなかった。

その好機到来を見据えた上で、全員が改暦事業の継続を正之の前で誓った。

かくして、僅《わず》か半年足らずで春海たちは解散となった。だが誰も事業不能になったとは思っていない。以後、おのおの公務の合間を縫って、引き続き改暦に邁進《まいしん》する。四人が四人とも、血判でも押しそうな勢いだった。

「必ずや改暦成就すべし」

その合い言葉とともに、春海は会津を去り、大量の文書を抱え、奮然と江戸へ戻った。

八

江戸では、似たような気魄《きはく》がみなぎっていた。

碁打ち衆の誰もが燃えるような闘志を抱いている様子に、春海はちょっと呆気《あっけ》にとられた。

春海が会津に呼ばれている間に、義兄算知と本因坊道悦による、碁所《ごどころ》を巡っての争碁が開始されていたのである。緒戦は引き分けに終わり、いよいよ白熱の勝負の始まりだった。

それと同じく碁打ち衆の心に火をつけたのが〝勝負碁〟の御上覧である。

なんと春海の不在の間に、義弟知哲と、あの道策とが、勝負碁をもって御城への初出仕を勤めたのだった。結果は、道策の後番五目の勝ち。将軍家綱様もその勝負を大いに楽しみ、興味深く見守られたという。

お陰で御城碁《おしろご》は完全に〝安井家と本因坊家の激突〟の様相を呈した。城内でも上々の評判で、粛々と政務が執り行われる江戸城内では珍しいほどの興奮をもたらしたという。

知哲も道策も、もうそんな年齢か。勝負碁の話を聞いたときの春海の最初の感想がそれだった。自分が碁のことをすっかり忘れていた間に、そんな大事な勝負があったなんて。そういえば義兄の手紙の中でそんなことが書かれていたような気もするが、毎日が授時暦との格闘であったため、それこそ遠い彼方だった。

春海のそんな心根をよそに、その年の日吉山王《ひえさんのう》大権現社での碁会は活気に包まれた。多くの碁打ち衆が互いにわざと打ち筋を隠す。特に算知も道悦も、完全に勝負の態勢に入り、互いの手を秘匿した。その緊張感が、職分を問わず人をわくわくさせるらしい。僧たちを相手に碁を打つ算知や道悦の周囲に、それはもう驚くほどの人だかりができていた。

春海はそんな賑《にぎ》わいの片隅で、一人ぼんやり座って碁盤を眺めている。会津に呼ばれる以前に、義兄に言われて妻帯したのも、一つは正之の改暦事業の意図が働き、それとなく義兄を促したのは確かだが、義兄からすれば、そもそもこの勝負に備えてのお家安泰をはかったものだった。

なのに、先ほどから、義弟である知哲に家督を譲る、という思案がいやに脳裏をよぎった。

もし改暦が実現し、天文方が創設されれば、自分がその役職に就いて、碁は引退することになる。それをいつ安井家に伝え、また道策に告げるべきか。改暦実現の見通しが立たない今はそれこそ何も話すことができない。けれども自分の心はますます碁から遠ざかってしまっていた。そんな状態なものだから、

「算哲様」

と道策がやって来て、当然のように碁盤を挟んで座られると、どうにも腰が引けた。

「やあ、道策。お手柄だったね」

わざと知哲との勝負に勝ったことを誉めて、自分自身の話題を避けたのだが、

「ありがとうございます。次は、ぜひ算哲様と勝負がしとうございます」

こういうとき道策の真っ直ぐさは実に容赦がない。

「ぜひ一手御指南を」

などと言って、さっそく碁笥《ごけ》を手に取っている。しかも白石の方だった。春海を目上の者として立てつつの先番譲渡である。今や御城碁を立派に勤め上げた、次期本因坊家の筆頭たる身で、安井家の一員である自分に対し、こうも謙遜《けんそん》の態度を示せるの

も、道策のひたむきさのあらわれだった。そういう態度をされて今さら断れる春海でもなく、どうにも頼りない心持ちのまま石を手に取った。そしてついつい、やってしまった。

ぴしりと天元《てんげん》に打ったのである。

打った直後に、あっ、と頭の中で変な声が湧いた。いつぞやの、亡父の打ち筋である初手右辺星下の再現である。しかも今回は、よりにもよって、あの保科正之が自分に見せてくれた、自分だけの秘蔵の棋譜に等しい、〝初手天元〟を見せてしまった。

この安井家の宿敵たる本因坊家の跡継ぎに、いったいどこまで塩を送る気か。

春海が自分自身に呆《あき》れ返るのをよそに、道策はなんとも形容しがたいきらきら輝く目で、

「初手天元……北極星、でございますね」

しっかり春海を見据えて言った。春海はどこかでその目を見た気がした。幼い頃、獲物を見つめて前屈《まえかが》みになる猫が、そういう目をするのを見てどきどきしたのを思い出した。

奪《と》られる。この天才に打ち筋を吸い尽くされる。ほとんど降参する気分でそう思ったが、道策はそれよりもっとすごいことを言った。

「いつぞやも申し上げましたが、天の理は天の理。碁の理とは違うことを証明してご

覧に入れとうございます。よって算哲様の、星に倣った打ち筋こそ、我が宿敵と存じます」

勝負の熱意に燃え上がるかのような道策の怜悧《れいり》たる相貌《そうぼう》に、春海はちょっと見とれつつ、馬鹿みたいにぽかんとして訊《き》き返した。

「敵……？　どういうことだい？」

「ぜひ上覧碁にて、この初手天元を打っていただきたく存じます。そしてわたくしが勝負に勝った暁には、この北極星たる初手を、葬っ、ていっ、いただきたい」

なんと手筋の抹殺を宣言された。

思わずこの手は、将軍家御落胤《ごらくいん》たる保科正之によるものだと口にしかけたが、今さらそれを言っては、道策が可哀想だった。

何より、何の説明もせず、考えもなく、初手天元を打った自分が悪い。

「ま……待ってくれ道策」

「いいえ待ちませぬ。このような憎い星は、我が手で盤上から排さねば気が済みませぬ。わたくしから師の道悦様にこのむねをお話しし、ぜひにも上覧碁にて決着をつけとうございます」

純情一途《いちず》としか言いようのない道策の言である。純情すぎてごまかしも逃げも打てない。春海は完全に途方に暮れた。と思ったら、脇からさらに声が飛んだ。

「兄上様、私が代わりましょう」

安井家の鶴亀の一方、亀を思わせるふくふくした福貌《ふくがお》の知哲である。澄ました面持ちで春海の隣に座り、たちまち道策がきっとなった。

「なんだと小三郎。なんと言った」

「三次郎様の御相手は私がしますと申したのです」

知哲は道策の一つ上で、互いに昔から幼名で呼び合う間柄である。そのため、それぞれ安井家と本因坊家の〝三の字〟として、碁打ち衆の間では親しまれている。

「兄上様の手の内を今から知ろうという魂胆、安井家としては見過ごせませぬ」

にっこり笑って知哲が言う。感情をあらわにする道策よりも、知哲の方が弁は立つ。

「しかし算哲様はわたくしと……」

道策が抗弁する間もなく、春海をどかすようにして知哲が席を代わった。大いに助けられたと思いながらも、泣きそうな目つきで道策に睨《にら》まれひやひやしつつ、春海は二人の碁を見守るかたちとなった。道策が悔し紛れに強い手を連発し、知哲がじっくり陣地を守る様子を見るうち、ふとある考えが湧いた。

改暦についての妙案である。

（勝負だ。宣明暦と授時暦を、万人の目前にて勝負させるのだ）

朝廷に働きかけて改暦の勅を出させ、かつ幕府をも天文方創設へと動かすための一手。

宣明暦を葬り、授時暦を世に認めさせるための方策だった。その考えが鮮明となるにつれて鼓動が高まった。全責任は自分が背負わねばならない。とてつもない緊張に襲われながらも、これしかないという確信があった。

そして春海は碁会から帰ると、その確信を文書にしたため、正之に送っている。

ちょうど江戸に戻ってきていた正之は、すぐにその返事を寄越してきた。目の悪い正之に代わり、家老の友松勘十郎《かんじゅうろう》という、正之の側近の手による文書であった。

ちなみにこの友松は、正之の君命に従い、正之がなした幕政建議書のことごとくを焼いた人物である。後世、あらゆる幕政のおおもとが正之の建議に依《よ》っていると知られれば、将軍の御政道の権威を低めてしまう、という配慮からきている。友松からしてみれば敬愛する主君の生きた証《あか》しを焼くわけで、正之その人を火にくべるような思いだった。それでも悲痛に堪えて君命を実行してのけた。そのような側近中の側近たる友松が、

「大殿様はまことに良策と仰せである」

と書いてきた。これで春海の腹は決まった。己の全存在を賭《か》けて、宣明暦を葬り、授時暦を新たな暦法として立てる。これこそ、自分がこれまでの人生を通して望み続けた勝負であったのだ。春海はそう信じ、全力で勝負に勝つための準備を整えた。ま

さかその勝負が、己の人生ばかりか、事業に関わった全員に、最大の悪夢をもたらすことになるとは思いもよらなかった。

九

寛文九年になり、幾つかの出来事があった。

一月、あの富貴の方が正之の子を産んだ。正之にとって六男になる。正之は子に先立たれることが多く、この六男正容《まさかた》が、のちの三代目会津藩藩主となった。

そして四月、かねて正之が願っていた隠居が、ようやく将軍家綱によって認められた。二代目藩主となったのは四男正経《まさつね》で、のちに正容を養子にして家督を継がせている。

これにより、晴れて自由に会津に戻れるようになった正之は、将軍家御落胤たる大名とは思えぬ、きわめて質素な行列を伴い、ひそやかに領地を見て回った。二十年以上もの間、幕政を優先してほとんど藩に滞在できなかった正之にとって、ようやくの慰安であった。今や藩主ではないのだから、お忍びに等しい行列であり、出迎える者とてない。ないはずだったが、どこからともなく、

〝大殿様がお戻りになる〟

という噂が立ち、それが村々へ知れ渡った。そして正之が領内に入るや、街道の両脇が、出迎えの民衆で埋め尽くされていた。行列の先触れも、この有り様に呆然《ぼうぜん》となった。報告を受けた正之は、その場で駕籠《かご》の戸を開かせている。護衛の観点からすれば無防備も良いところだが、それが正之の生涯における民生の在り方だった。領民の方もそれを知っていた。見えぬ目をさまよわせながら正之がその身をさらしていることに気づくなり、街道を埋める民衆が一斉にその場にひれ伏したという。

〝会津に飢人《きにん》なし〟

というかつてない偉業を成し遂げた君主に対し、決して派手派手しい歓呼といった、護衛の必要を生じさせるような騒ぎは起こさず、ただ、

「大殿様」

「大殿様」

と、ささやくような、むせび泣きの声でもって迎えたのであった。

このとき領内を回った正之は、ある者の作った草鞋《わらじ》を誉めたらしい。それがまた、あっという間に村々へ伝わった。その日から次々に自作の草鞋を献上する者が現れ、ついには城の一室から溢《あふ》れ出すほどの草鞋の山になったという。正之はそのとてつもない数の草鞋を前に涙し、民生の志を忘れぬための品として、全ての藩士たちに配らせた。

そしてその草鞋を、春海も頂戴《ちょうだい》した。

江戸で安藤から渡され、〝大殿様お出迎え〟のくだりを聞かせてもらったのである。以来、春海も安藤も、その〝大殿様草鞋〟をお守りのように扱い、もって改暦事業の励みとしつつ、着々と用意を整えていた。同年、その最初の成果が結実した。

春海、三十一歳。

京でかねてから改暦に協力してくれていた松田順承と会い、ともに暦註《れきちゅう》検討の、最初の集大成を発表することとなったのである。

『春秋述暦』

という書である。春海と松田の共著で、春海の生涯初の書籍刊行である。

この、中国の春秋時代の暦日を詳細に検討してのけた書こそ、改暦の世論構築の初手だった。続けて春海と松田は、さらに詳細な暦註研究の成果として、

『春秋暦考』

を用意し、翌寛文十年に刊行している。立て続けの最新暦註の発表は、さすがに京の知識層の間で大いに話題となり、また物議を醸した。またこれに並行して、春海はさらに単独で、

『天象列次之図』

と題された、北極出地以来の、天測結果の集大成を発表している。これによって暦

註研究の裏付けとして、入念な天測があることを知らしめたわけだが、また別の効果もあった。

天測結果の詳細な図案化によって、何年にもわたって春海が挑み続けていたものに、決着をつける意図があった。

かの建部の遺言に等しい大願、渾天儀《こんてんぎ》の完成である。

京の生家で、春海はそれを初めて人に見せた。相手は闇斎でも光国でも伊藤でもない。

「まあ」

と、妻ことは、目を輝かせて、春海の手による星々の球儀に見入ってくれた。ちょうど春海が両手で胸に抱えられる大きさで、湿度による歪《ゆが》みを避けることから、ほぼ金属で出来ている。

数百の星の位置を一個の球体において詳《つまび》らかにし、黄道、白道、二十八宿、主な恒星や惑星までも、ことごとくを渾大となした、一世一代の作であった。

「どうか、おことの手で、これを抱いてやってくれないか」

と春海は、ことに頼んだ。

「私が、ですか？」

ことは目を丸くしている。

「うん。お前にそうして欲しいんだ。さ、頼むよ」

春海に促され、ことは、おずおずと手を伸ばし、うっかり壊してしまうのではないかと怖れるような手つきで、そっとその渾天儀を抱き寄せた。そして、ことの胸にそれが抱かれた途端、

〝こうして……こう、我が双腕に天を抱きながらな……三途《さんず》の川を渡りたいのだ〟

あの建部の声が鮮やかに甦《よみがえ》った。たちまち目頭が熱くなり、涙が噴き零《こぼ》れ、

「旦那《だんな》様？」

びっくりすることに、春海は泣きながら言った。

「ようやく……建部様の供養ができたよ。ありがとうな、おこと。ありがとう」

渾天儀を両手でしっかり抱いたまま、ことは、そっとかぶりを振って、

「ことは、幸せ者でございます」

はにかむように微笑んだものだった。

ひと月ほど後、新たに同じものを製作し、人に頼んで金箔《きんぱく》と漆で豪奢《ごうしゃ》に仕立てさせた。

そうして献上された渾天儀を、光国が、ぶっとい双腕で抱きすくめていた。

「ぬう」

と、胸元の渾天儀を睨《にら》み、ものすごい迫力のこもった唸《うな》り声を発する光国に、春海は呆気《あっけ》にとられつつ震え上がった。咄嗟《とっさ》に光国がその渾天儀を気に入らず、ありあまる腕力で砕き散らし、ついでに自分を斬殺《ざんさつ》する光景がまざまざと脳裏に浮かんだ。

「あの……」

いったい何が気に入らないのか、勇を鼓して訊《き》きかけたところで、光国の目がじろりと春海を見た。

「そなた、この一品をもって、歴史に名を残しおったな。しかもその若さでだ」

なんだか親の敵《かたき》でも見るような目つきだったが、声には紛れもない称賛の響きがある。

「か……過分のお言葉にございます」

春海は慌てて答えつつ、

「うぬう」

渾天儀を両手で掲げて眺めながら唸る光国の様子に、

(悔しいのか)

はたと理解がついた。なんとこの暴気に溢れた学問好きの御屋形《おやかた》様は、自分から渾天儀を所望しておきながら、それを完成させた春海に対し、猛烈に対抗心を燃やしているのだった。

そのくせ完成したばかりの渾天儀を受け取ってからずっと、様々な角度から眺め、なで回し、なかなか手放せず、ついには子供のように小脇に抱えて、

「星の次は、日と月ぞ。改暦の儀、なせるか？」

重々しく訊いてきた。正之から春海の人材吟味を頼まれた光国である。今までの経緯も全て知らされているのだ。春海は平伏し、きっぱりと答えている。

「必ずや成就いたします」

「水戸は、帝《みかど》こそ第一義ぞ」

光国は言った。改暦が朝廷の権威失墜になってはならないという警告だった。

それが水戸藩の特色であり、会津藩と対照をなす思想の相違だった。

会津藩および保科正之にとっては、将軍家こそ〝尽忠〟の対象である。だが水戸光国にとっては、将軍よりも天皇がその対象だった。そしてその両藩の思想の違いは、春海の生きる今から、数百年にわたり、変わらず受け継がれてゆくことになる。

「江戸幕府と朝廷、いずれにとっても慶賀の、また潤利たる事業にございます」

その点に関しては、繰り返し議論を重ねており、自信をもって答えることができた。むしろ将軍家と天皇家の共栄をなすものとして、改暦の事業があると信じていた。

光国は、ついに春海が辞去するときも渾天儀を抱いた姿のまま、

「生意気なやつめ。大いに名を残せよ。水戸がそなたを支援しようぞ」

と、なんとも嘘偽りのない言葉をくれた。

渾天儀を献上してのち、春海は、さらに光国から地球儀と天球儀を所望されてこれを製作している。光国の悔し紛れの所望とも言えたが、春海にとっては望むところで、

「本当に作りおった。星狂いめ。余から将軍に献上してやる」

と、のちに光国から、称賛と悔しさが一緒になったような言葉を賜っている。

それと並行して三つ目の渾天儀を製作し、北極出地をともにした伊藤に贈った。むろん金箔を貼ったような豪勢な品はさすがに用意できず、ことに抱いてもらったものと同じ作りである。

既に家督を子息に譲って隠居したばかりの伊藤は、その渾天儀を、ことも光国とも違う、優しくいたわるような手つきで抱きしめた。

「ありがとう、安井さん。ありがとう」

目の縁に光るものを溜《た》めつつ、繰り返し礼を言った。前年に胃の病を患ったとのことで、ともに五畿《ごき》七道を巡ったときとは別人のように痩《や》せてしまった伊藤の貌《かお》を見つめながら、

「伊藤様から御教示いただきました、あの〝分野《ぶんや》〟も、必ずや成就してご覧に入れます」

そう春海は告げた。できれば改暦のことも話したかったが、今はまだ事業が公示されておらず、勝手に明かせる段階にない。だがせめて、伊藤がかつて病に襲われた建部にしたように、励みとなる何かを一つでも多く贈りたかった。

けれども結局は、伊藤の方が、優しく春海を励ますように、

「頼みましたよ」

再三にわたり、言ってくれた。

老いと病を背負い、おそらく、もう天測の指揮を執っていた頃の健康を取り戻すことはないであろう伊藤の微笑みに、胸を衝《つ》かれる思いがした。

「頼まれました」

ただ一心にそう誓った。何が何でもその言葉を守りたかった。正之の願いもふくめて叶《かな》えたかった。それこそ自分に与えられた勝負なのだと信じていた。

寛文十年、冬。もう一つの勝負を春海は迎え、そして負けた。かねてから道策が公言していた、

「勝負碁の御上覧において、安井算哲様の初手天元《てんげん》を葬る」

という勝負である。どうにも逃げられず、いよいよ春海も覚悟を決めた。

十月十七日。春海は、かの正之の民生の象徴たる〝大殿様草鞋《わらじ》〟を、さらしで腹に

巻き、着物の内側に抱いて勝負に赴いている。そして道策の望む通り、初手天元を打ち、互いに歯を食いしばっての一局となった。

結果は、道策の白番九目勝ち。この勝負において道策の力量は疑いないものとなり、

(竜だ。ここにも竜がいた)

さすがの春海も瞠目《どうもく》し、かつて関孝和に抱いたのと同じ思いを味わったものである。

だが勝負が終わった次の瞬間、道策が一挙に緊張を失って深々と息をついた。よほど気を張っていたのか、いつもの凛然《りんぜん》たる才気に満ちた姿はなく、前屈《まえかが》みに肩を落としたのである。

それを将軍様が見た。居並ぶ老中も、大老も見た。碁打ち衆も見たし、碁職を管轄する寺社奉行も見ていた。一方、腹に草鞋を抱いた春海は、負けてもなお残心の姿勢を崩さなかった。

これによって、

〝安井家に一日の長あり〟

と評された。安井家の碁は、勝負に負けても命を奪《と》りに行く碁だ、というのが、春海と、そして義兄算知への称賛となった。

「ですが、約束は約束です。勝ったのはわたくしです」

勝負の後で道策はむきになって言った。今さら初手天元が正之の手筋であると言う

ことができず、春海はなんだか道策が可哀想になった。

「うん、わかった。初手天元は封じ手にしよう。でも碁会で使うなら良《い》いだろう?」

「いけません。天元など碁において邪道です。いけません。許しません。禁じ手です」

顔を真っ赤にして道策が言い張り、結局、春海は初手天元を禁じられてしまい、

「じゃあ、来年の勝負碁で勝ったら、禁を解いてもらうというのはどうだろう」

春海の提案に、道策はこれまで以上に屹然《きつぜん》となって、激しくかぶりを振り、

「決して負けませぬ」

大いに断定した。

そして翌寛文十一年、春海は、記録にも残らぬ惨敗を喫した。

碁職にあるまじき悪手の連発だったが、それでも春海に同情する声が多かった。記録が残っていないのは、勝者であり棋譜を所有する権利がある道策が、その棋譜を破り捨てたからである。それは怒りからではなく、ひとえに、春海への憐《あわ》れみからだった。

その年、春海には不幸があった。

妻ことが死んだのである。

第五章　改暦請願

一

もとから蒲柳《ほりゅう》の質であったが、夏までずっと、ことは健康だった。急変したのは盆を過ぎた頃で、にわかに血を吐くようになり、医師からは胃の腑《ふ》の病と宣告された。透けるように白かった肌に、黒々とした腫《は》れ物が出来たというから、癌であったのかもしれない。

医師による治癒が功を奏さないとわかれば、あとは死を待つ時間が残されるばかりである。

春海はなおも懸命になって快癒の法を求めたが、ことは既に死を悟っていた。

「ことは嬉《うれ》しゅうございました」

と、これまで春海が、彼女のためにした願掛けや、贈り物や手紙、それ以外の日々

の細々としたことに対し、いちいち礼を述べ、喜びを口にした。そして、

「ことは、幸せ者でございます」

そう繰り返し、最期のときにも、その言葉と弱々しい微笑みを残して目を閉じた。

そのときは寝息を確認したのだが、寛文十一年の十月一日、ついに目覚めぬまま世を去った。

訃報《ふほう》を受けて駆けつけた義兄の算知に、連日の看病で憔悴《しょうすい》しきって幽鬼のように頭《こうべ》を垂れた春海は、ひどく力の抜けた虚《うつ》ろな声で、

「死なせてしまいました」

と告げた。

「お前のせいではない、算哲……」

だが春海は、算知が慰めるのも耳に入らない様子で、その場で土下座し、

「申し訳もありません。死なせてしまいました」

ただ、そう繰り返した。

「よしなさい。お前のせいではない。ことも、お前のような良人《おっと》を持てて幸福だったろう」

そう算知は言ってくれるのだが、

「まことに不甲斐《ふがい》なく……」

春海は心ここにあらずの様相で、譫言《うわごと》のように詫《わ》び続けるばかりである。

そこへ闇斎がすっ飛んできた。なんのためか。ただ一緒に泣くためである。闇斎はそういう人だった。

「お前の嫁御おことは、神になったのだ」

かつて父が死んだときと同じ事を言った。

「いつでもお前を見守っている。いつでも嫁御に会える。人の霊とはそういうものだ」

闇斎はそう言ってくれたが、春海は涙も出ず、呆然《ぼうぜん》としたままでいる。

それこそ自分の方が亡霊になった気分だった。そんな状態でも、ことの葬儀を済ませるとともに職務のため江戸に出府し、勝負碁を打った。そして本因坊家の俊英たる道策を相手に悪手を連発し、将軍様の御前で見るも無惨な敗北を喫したのである。

だが、もともと妻の健康祈願のために江戸中を巡り、城内で揶揄《やゆ》されるほど愛妻家として知られた春海である。家督を継ぐ者としては天晴《あっぱ》れな姿と言えた。それなのに妻をきわめて若く、また子もなさないうちに亡くしてしまった。春海に落ち度はなく、むしろ〝家の安泰〟という観点からすれば、必然、大いに同情の余地があった。

碁職にふさわしからぬ惨敗を喫しておきながら、失職することを免れたのもそのためだ。

だが当の春海にとっては、碁打ちの職分を失わずに済んだことへの安堵《あんど》など、ほとんど感じる間もなかった。それればかりか、さらに死が待っていた。

江戸にその年の初雪が降り積もった日。

北極出地をともにした伊藤重孝が逝去した。

労咳《ろうがい》らしいと噂で聞いたときはもう遅かった。慌てて見舞いに行くと、遺族は葬儀の準備をしていた。呆然としたまま弔いに参加させてもらい、義兄や安藤らの励ましも空しく心に響かず、幽霊のようにその年の暮れを過ごした。

春になって京の生家に戻り、ある晩、妻のいない一室で眠りに就こうとした。そこでふと渾天儀《こんてんぎ》を抱くことの姿を思い出した。いや、ほとんど手で触れそうなほど、眼前にその姿を見た。

目を見開いてそっと近づき、ゆっくり手を伸ばした途端、ふっとことが消えた。

消え去る間際、確かに、ことは春海に向かって微笑んでいた。その唇が、

〝幸せ者でございました〟

そう告げるのを見た。

暗い部屋に一人残されたまま、春海は妻が死んでから初めて泣いた。ことが抱いてくれた渾天儀を、己の腕で力任せに抱きしめながら泣き続けた。

ことに詫び、伊藤に詫びた。妻を救えなかった悲痛に震え、伊藤に約束した、あの

〝日本の分野《ぶんや》作り〟という大願成就を間に合わせられなかった情けなさに身を折って泣いた。

これ以後、春海は、常に死者を見送る側となった。死者たちとともにあって、遺《のこ》されたものをただひたすら背負い続けた。それが春海の生涯だったといってもいい。その生涯において、死者の数は増える一方であった。

ひたすら事業に打ち込んだ。天測と授時暦研究を繰り返し、その没頭ぶりは、家人が声をかけるのをためらうほどの、鬼気迫る様子であったという。だが春海本人はそれこそ無我夢中で、周囲の人間が腫れ物に触るような扱いをすることにも、ろくろく気づいていない。

一方で春海は、義兄に、粗末な碁を打ったことを詫びる手紙を長々と書いている。算知は逆にそのことには言及せず、養生するようにとの返事をくれた。

寛文十二年の十月。

三十四歳の春海は江戸で御城碁を務めた。相手はやはり道策である。結果は先番十目の負け。勝負において一切の容赦を見せず、全力で攻めてくる道策の存在がありがたかった。というより、やっと死別の衝撃から立ち直る契機を与えてくれた。ふと気づくと、城で碁を打っていた、という感じである。そして碁のお勤めを終え、会津藩藩邸に戻るや、事業の準備がほぼ整っていて、ちょっと呆気《あっけ》にとられた。必死に整えたのは、むろん春海自身なのだが、なんだか今まで夢の中にいたような気分だった。およそ一年かけて、死別の悲痛を乗り越えたのである。

やっと平静を取り戻した翌日、春海は改めて伊藤の墓前に赴いている。そこで伊藤の冥福《めいふく》を祈り、事業成就を繰り返し声に出して誓願した。それから藩邸に戻り、どこへ行くにも携えていた、ことの位牌《いはい》に向かって、

「私は、幸せ者だ」

初めて、静かに微笑むことができた。

十一月、春海は、大老たる酒井忠清に指名されて碁を打っている。

春海が、ある書類を、保科正之に宛てて送った数日後のことだ。その書類を、正之が懇意にしている老中稲葉正則を通して、酒井も目にしていた。そのことを、なんと珍しいことに酒井本人が春海に教えてくれた。今や酒井は城内で比べる者とてない権威を誇り、

〝下馬将軍〟

などと、その家宅が下馬所の前にあることから、陰口を言われるほどになっている。

だが酒井本人に、権勢を濫用する様子は見られない。大名たちを始めとして各界の権力者たちが、こぞって酒井に賄賂《まいない》を渡したが、酒井はそれすら機械的に受け取って

は、幕政安泰に費やしている。むしろこれまで以上に淡々と、己を一個の器械と化さしめるようにして将軍家綱の治世を支えていた。それこそが酒井にとっての王道であり、若い頃から周囲によって受けた教育の成果だった。

「じきに、なるそうだな」

いつもの通り、訊《き》くともなしに酒井が口にした。春海はうなずき、はっきりと断言した。

「は……。宣明暦のずれは著しく、もはや完全に二日の遅れとなっております。よって改暦の好機は間もなく到来いたします」

「八百年かけて、二日のずれか……」

酒井が呟《つぶや》いた。ひどく不思議がっているような声音だった。八百年と二日という単純な比較において、大したずれではないのか、それとも致命的なものなのか、判断がつかないらしい。

それどころか、なぜ春海が自信をもって断言できるのか、理解できずにいるのである。

その不思議そうな様子に、春海はおよそこれまで考えたこともない、酒井という人間の、愛嬌《あいきょう》のようなものを見た気がした。この人は、不思議なものに相対したとき、余計な理屈をつけず、ただ不思議だと思いながら眺める性分なのだ。素直と言えば素直、無関心と言えば無関心。

　だが今、春海は、その酒井の態度にやけに人間味を感じた。

「お主の用意したものを見た。保科公にお主が送ったあれだ」

「は……」

「今後の算段は任す。将軍様への献上の段になれば、わしが取り持つ」

「恐悦至極に存じます」

「日と月を、算術で明らかにするか」

　ますます不思議そうな酒井だった。かと思うと、やけに淡々とした、あるいは澄んだ目で春海を見た。

「天に、触れるか」

　一瞬、酒井が微笑んだ気がした。不思議は不思議としてさておき、春海の刻苦勉励のほどだけはわかる。そういう感じだった。春海はなんとなく、あるとき突然、二刀を与えられて以来、初めて酒井という人に共感を覚えた。春海が算術に打ち込むのと同じように、あるいはそれ以上の使命感をもって、酒井もまた、幕政というものに心身を捧《ささ》げてきたのである。

　そのことが、やけに心に迫った。時代の革新をもって幕府を支えてきた保科正之とは違い、長期安定をはかる保守正道の尽力こそ酒井の役目であり性分なのだ。

そしてどちらも、江戸幕府にとって欠くべからざる存在だった。革新だけでは置いて行かれる人々の怨《うら》みが政道の障りとなり、保守だけでは新たな世を求める人々の鬱《うっ》憤《ぷん》を招く。

戦国から泰平へ。その政道が将軍家綱のもとで完成しようとしているのも、ひとえに保科正之と酒井忠清という対照的な人材が、絶妙の立ち位置を保って尽力し続けたからではないか。

その二人からお言葉を頂戴《ちょうだい》できることが、名誉である以上に、今の自分を作ったのかもしれない、という実感が春海の中で湧いた。不遜《ふそん》なことを言わせてもらえば、父を亡くした自分にとって、どちらも父に等しい存在のような気さえするのだった。

「はい、酒井様」

春海はただ静かに頭《こうべ》を垂れた。

それからひと月あまりののち。予期されていたことが、ついに生じた。

寛文十二年十二月十五日。

年は壬子《みずのえね》、日は丙辰《ひのえたつ》。

月齢は望。即ち満月たるその夜。

宣明暦は、月蝕《げっしょく》の予報を外した。

〝月蝕あり〟としながらも実際には一分として蝕は起こらなかったのである。

一方、授時暦の予報では〝月蝕なし〟であった。いよいよ宣明暦の誤謬《ごびゅう》と、授時暦の精確さとが、日本全国、万人の眼前で明らかとなったのである。にわかに春海のもとへ改暦事業に関わる者たちから報《しら》せが届いた。

まず会津にいた安藤と島田が、同じ日付で、

〝蝕なし〟

との観測結果を報せてくれた。

京にいる闇斎、岡野井、松田からも、立て続けに手紙が来た。

〝改暦の機運、来たれり〟

どれもこれも、その気炎に満ちており、春海の昂揚《こうよう》を大いに煽《あお》った。

さらには、正之の側近たる友松勘十郎や、老中稲葉正則からも報せが来た。どちらも改暦の仕儀を開始するよう春海に命じるものであったが、しかし、それだけではなかった。

同時にそれらは、訃報《ふほう》だった。

一読した春海は、呆然《ぼうぜん》と宙を仰ぎ、それから、ぎゅっと目をつむった。悲しみとともに、たとえようもないほどの事業への重責の念が降りかかってきたからだった。

宣明暦が予報を外した日から僅《わず》か三日後。

保科正之が、命を畢《お》えて世を去った。

保科正之の、死への準備は、特筆すべきものであった。

春海はその様子を、師の山崎闇斎や、友松、老中稲葉などから、つぶさに聞いている。

二

死の四年前、正之は〝十五箇条の家訓〟を制定している。これを発議したのは正之の側近である友松勘十郎で、

「大殿様の御子孫、また家臣ら、藩政を司《つかさど》る者たちが、大殿様ののち末永く守るべき教訓を、大殿様ご存命のうちに頂戴いたしたく存じます」

と正面切って要請したという。つまり、いつ死ぬかわからぬのだから、今のうちに藩の将来の方針となるものをくれ、と当人に言ったわけである。並の君主なら不遜だと一喝しそうなものだが、正之はあっさり納得し、自ら草案に着手した。代わりに、というわけでもないのだろうが、このとき友松に、正之による幕政建議の数々を焼くよう命じている。

幕政の建議のあれもこれもが正之の構想だったことが後世に伝われば、将軍への敬意が損なわれる。そうなれば将軍様を戴《いただ》いての幕府による〝天下の御政道〟の障りと

なる。だから焼く。

友松も友松で涙を堪《こら》えるあまり、だらだらと脂汗を噴きながら、反論一つせず粛々と己の崇敬する君主の生きた証《あか》しを火にくべていったという。君主の死を平然と口にする家臣、家臣に過去の勲功を焼かせる君主、これほど信頼の歯車が嚙《か》み合い、不都合なく回転するのも珍しい。事実、正之亡き後の会津藩主たちは、才気煥発《かんぱつ》な家臣の扱いで、たびたび失敗《しくじ》っている。

その二人による保科家〝家訓〟の起草および文飾を任じられたのが、闇斎である。

「あの保科公と友松殿やで。どんなご下命でも怖くて断れんわ。断りでもしたら、友松殿のことや、その日のうちに拙者の不徳とかなんとか言い残して、涼しい顔で腹を切りよるんじゃあないかと、こっちはびくびくものや」

のちに闇斎は、いつもの京都訛《なま》りともなんともつかぬ独特の調子で春海に話している。周囲の人間を振り回すことで有名な闇斎も、正之と友松が相手ではずいぶん大人しい。

そうして制定された十五箇条の家訓は、多くの藩主たちが遺《のこ》した家訓とは一線を画するものとなった。まず第一条で、会津藩主は他藩に倣わず、ひたすら幕府に尽くせ、それができない藩主に家臣は従うな、と定めている。どんな暗愚な主君でも、誅殺《ちゅうさつ》したり見捨てたりしてはならない、という下克上《げこくじょう》否定の正之の思想からすれば、実に厳しい言葉だった。

さらに別の一条で、正之は〝民生〟たる社倉《しやそう》制度の永続を命じている。民生が藩政を支え、藩政が幕政を支え、幕府による天下の御政道が民生を支える、という国の理想を明らかにし、その秩序構築はあくまで法治・文治であるとした点が、正之が体現し続けてきた正義だった。

〝たとえ法に背いても、自己の武士道をまっとうすべし〟

といった武断の世の武士像を斬り捨て、

〝主君と同じく、法を畏《おそ》れよ。もし法に背けば、武士でもこれを宥《ゆる》してはならない〟

と明確に定めたのである。

そして最後の第十五条で、再び君主について言及している。君主のために家臣と民がいるのではなく、家臣と民のために君主がある。正之の人生の結晶とも言える家訓だった。

また正之は、宗教面においても、己の死をもって根づかせることを試みている。日本古来にして固有の宗教たる惟神道《かむながらのみち》、すなわち神道の探究の成果として、正之は、己の葬儀を神道に基づいて行う用意を整えた。

死期の近づく寛文十二年の八月。自らの寿蔵地（埋葬地）を定めるため、家臣たちのほか、当代随一の神道家である吉川惟足《よしかわこれたり》とともに会津磐梯山《ばんだいさん》の猪苗代《いなわしろ》の地を訪れている。

この吉川惟足という人、もとは江戸日本橋の魚屋の息子である。京に出て神道を学び、吉田神社に仕える卜部《うらべ》吉田家の神道を継承し、大いに発展せしめて独自の流派となした希代《きたい》の天才だった。その才気と研鑽《けんさん》のほどはまさに抽《ぬき》んでて優れ、あの山崎闇斎が伏して師事を願ったといい、今では日本の神道家たちの筆頭と目されるに至っている。

その惟足を招いた際、正之は、このように問うたという。

「神の世の時代、民衆の情を得た政道、四海（世界）が安穏に治まった要領とは何か」

これに対する惟足の答えは、

「天照大御神が世をお治めたもうた要領は、次の三つのほかにない。まず己を治めて正しくし、私《わたくし》をなくすこと。仁恵を重んじて民に施し、民を安んじること。多くを好んで問い、下情（世情）を精《くわ》しく知ること」

主君の滅私、民生主義による民の生活確保、そして詳細な世情把握、全てが正之の抱く治世の理想そのものだった。また、神の働きを意味する〝誠《まこと》〟、その働きに達するための〝敬《つつしみ》〟、実践の方法たる〝祓《はらい》〟、天地万物の本源たる神は、人間一人一人の内にも在るとする思想。いずれも惟足の大成した神道思想であり、正之をして心酔せしめ、大いに師事した。そして神道を究めること十数年、正之は惟足が驚喜するほどの境地に達し、ついには最高奥義である〝四事奥秘伝〟の授受の段を迎えるまでに至っていた。これは吉田神道が、神代のときより受け継いできたとされる神の法で、その全貌《ぜんぼう》は秘中の秘である。そしてその秘伝授受がなされ、

「土津《はにつ》」

なる霊号が惟足から贈られた。これが保科正之を〝土津公〟と呼ぶ由縁である。

土《はに》とは、神道において宇宙を構成する万物の根源であり、その最終的な姿を意味している。

神と霊と人の心とを結ぶもので、神も霊も心も、結局は同じものが別の形をとっているのだ、という道理をあらわす上で、なくてはならない言葉である。土たる理の一切を体得しえた会津の王――その霊名をもって、正之の存在そのものが神道の奥義を伝える一端となったのである。

そうして寿蔵地や葬法を定めて江戸へ戻り、運命の日たる寛文十二年十二月十五日を迎えた。

そのとき重い風邪で病床にあった正之は、友松の報せで、

〝蝕《しょく》なし〟

という、かねて予測されていた一事が、ついに生じたことを知った。ちょうどそこ

に闇斎もいた。正之に請われて、六年余もかけて講じた朱子学の『近思録』の、最後の講義を終了したばかりだった。すっかり傷んだ書をたたんで、闇斎は、床に臥《ふ》したままの正之と微笑み合った。

「終わりましたなあ」

闇斎が言うと、正之は何とか起き上がり、深々と礼をし、言った。

「ありがとうございました、山崎先生」

「保科様も、よう頑張りました」

闇斎も丁寧に礼を返し、目に涙を光らせながら、互いに数多《あまた》の学書を鳩首《きゆうしゆ》研鑽してきた日々を振り返って語り合った。

「六十一にして、方《まさ》に聖人の一言、吾《われ》を欺《あざむ》かざるの語を見得たり」

ぽつんと正之は言った。これは朱子の言葉である。

「大賢たる方でさえ、年功を積み、ようやく発明となっておられる。お陰様で、自分もこの歳になり、どうにか物事の推察ができるようになってきました。これはまことに幸せなことです。ありがとうございました、先生」

そう言って再び礼をした。闇斎もその喜びを深く分かち合っている。己の死を前にして、互いに歩んできた道のりを振り返ることができる。そういう相手がいることこそ幸福だった。

そこへ〝宣明暦が蝕を外した〟との報がもたらされた。

「改暦の儀、いよいよの機です」

正之が微笑んで言った。生きて見定めることがないのを悟った上での言葉だった。

「必ずや、春海ならば謹んでまっとういたしましょう。この不肖の身も微力ながら尽力させていただきます。会津の算術の達人たちもいます。何も心配はいりません」

闇斎は涙ながらにそう誓った。

そして十二月十七日。死の床で、正之は、老中稲葉正則、およびその息子で、また正之の女婿でもある、稲葉〝丹後守《たんごのかみ》〟正通《まさみち》を呼ばせた。そして彼らに、こう言い遺した。

「気運に乗り、今こそ改暦を実現せしめよ。その方策の一々を、春海に主導させよ」

翌日、正之は、六十二歳の生涯を終えた。

三

会津藩家老の友松と、老中の稲葉正則、それぞれが正之の言葉をしたためて春海に送り、それらを受け取った春海は、しばらくの間、固く目を閉じて微動だにせずにいた。

から、ころん。

幻の音がした。清々とした幸福の念に、深い悲しみの交じる音だった。と同時に、正之の優しげな笑い声が響いた。

(己に飽きた、は良かったな)

会津にいる間に、いつしか正之は春海のことを、「算哲」ではなく「春海」の名で呼ぶようになっている。というのも、春海自身が何かの折り、名の由来を告げたからで、碁職への飽きから己自身の春の海辺を欲する、という、親から受け継いだ家督を否定するような言い分にも、

(それでも家督を投げ出さず、出奔せず、家を荒らさず、出来る限り家業に励んだのは、まことに天晴《あっぱ》れな心がけだ)

正之は面白そうに笑ってくれた。かつて正之は、徳川家から親藩の証《あか》しとして〝松平〟の姓を名乗ることを許されたにもかかわらず、自分を育ててくれた保科家を敬い、保科姓を決して棄てなかった人物である。だがそれでも、春海の飽きに対する苦しみや、自ら別の姓名を考案した心持ちを、ちゃんと理解してくれていた。

(己の家を棄てず、とらわれず、そなた自身が、春の海辺のごとくあれ。そしてそなたの暦法と事業を通して、武家の文明に春をもたらしてくれ)

正之はそう言ってくれた。最初の改暦の試みにおいて、天皇の勅令が下されず、何

の成果もないまま江戸に戻らねばならなくなったときも、

（春は必ずや来る）

そういう励ましの手紙を、家老を通して送ってくれている。

改暦という、地にあって天意を知ろうと欲する挑戦の意志、その事業の全権、それらをことごとく不肖の自分に委《ゆだ》ねてくれた正之に、春海は固く報恩を誓った。

明けて寛文十三年。

春海、三十五歳。全精力を傾けての改暦事業、実行であった。

会津の安藤と島田、江戸の友松と稲葉父子、京の闇斎らと、密接に連絡を取り、改暦請願の文書を練りに練って用意した。天皇と将軍という、国を体現する存在へ差し出す文書である。一字一句に己の霊魂をやどらせるような気魄《きはく》がなければ、とても書けるものではない。ただの一行を定めるのに心身消耗すること甚だしかったが、同時になんとも言えぬ昂揚《こうよう》と陶酔があった。国事に心身を献《ささ》げんとする没我の思いを繰り返し味わいながら、たまらない緊迫と畏怖《いふ》、それらがもたらす滅々たる疲労を乗り越えての作業となった。

その一方で、授時暦研究の最終的な確認が行われた。

事業に関わる者たちの協力で、京、江戸、会津という、三都市同時の天測をもとに、その暦法の確かなることを執拗《しつよう》なまでに明白にしたのである。

さらには家業の碁も疎《おろそ》かにはできず、正月明けから春にかけての公家《くげ》や寺社との碁会にも通わねばならなかった。日に日に昂揚に疲労が勝ったが意気挫《くじ》けることなど想像もせず、正之の心意を承ったのだという思いが一層強烈に春海を衝《つ》き動かすようになっていた。

その間、闇斎や吉川惟足、会津藩家老の友松などが、また別の事業に尽力している。

正之の葬儀であった。

将軍家綱は、保科正之の冥福《めいふく》を祈るため、七日間の歌舞音曲《おんぎょく》の停止を江戸市中に命じた。

玉川上水の開削の推進、明暦の大火ののちの民生都市の建設など、果たして江戸の民は、正之の功績を知り、称《たた》えたろうか。ただ黙想の七日をもって、江戸は、武断の世を退け、文治の世を推し進めた偉人を弔った。

寛文十二年の十二月二十二日には、正之の遺体は会津へ運ばれている。

そして葬儀が行われたのは、実に三ヶ月後のことだった。異様なほどの遅延である。

理由は、正之の〝神式の葬儀〟が今さら幕府の方針と衝突したからで、幕府としては〝禁教令〟に基づき、切支丹《きりしたん》排除の貫徹のため仏式葬儀が通例だった。とはいえ、本来、神式こそ日本人の葬法である。しかし神道の葬儀を正しく理解する者が幕閣にいない。寺社奉行所にすら文化理解を任務とする役職がなく、それが問題をややこしくした。

逆にこれがきっかけとなって、のちに文化事業を主眼とする役職が立て続けに創設されるのだが、このときは、正之の葬儀を巡って、老中稲葉と吉川惟足の間で激論となったという。

葬儀の全権を任された友松などは、幕府から死罪を命じられようとも弔いの儀をまっとうすると宣言した。他の者ならまだしも友松ならば本当にやる。それがみなわかっていた。

最終的には、正之が神道奥義を伝授されたことを示す証文が幕府に提出され、決着となった。さすがに幕閣の面々も納得せざるを得なかったらしい。もし強硬に神式の葬儀を禁じては、全国の神道家たちから幕府の弾圧とみなされ、どんな不満を醸成するか知れない。

よって幕府としては奨励できないながらも正之の葬儀を〝黙認〟することが決まった。

なお、大老酒井および将軍家綱は、この紛糾の最初から最後まで何の指示も出していない。はなから幕府と関係のないこととして事態の悪化を未然に防いだのだろう、と春海は思う。ここでも歌舞音曲停止と同じく、幕府は沈黙をもって正之を弔ったわけである。

そうしてようやく保科正之の埋葬の儀が執行された。霊碑には『土津神墳鎮石』、墓標には『会津中将源君之墓』と刻まれた。さらに友松が奉行となって〝土津《まつ》神社〟が創建され、幕府黙認のもと、初代会津藩藩主にして将軍家御落胤《ごらくいん》たる人を祀る、異例の神社建立がなされた。

その同時期。春海の担う事業も、いよいよその緒に就いていた。

寛文十三年夏。

宣明暦を廃し、授時暦への改暦を行う請願を、朝廷と幕府に提出したのである。

春海が三十五歳のときであった。

四

『欽請改暦表』

というのが、朝廷に上表された文書である。

欽《つつし》んで改暦を請う、というその表題の直後に、『臣算哲言』と、全責任と全執行の裁断が安井算哲こと春海にあるのを明記している。

実にこのたった九字をもって春海は一介の碁職としての身分を跳躍し、天皇という宗教および文化の最高峰の眼前に名を晒《さら》したわけである。

『暦也者用天道　頒諸天下　以為民教者　有在于此　臣雖非其任　而不免僣越之罪　伏冀農民無失耕桑之節也　実惶実恐　頓首頓首』

天の道を用いて暦を天下に頒布し、もって民を教育する、自分はそのような任に非《あら》ず、僣越《せんえつ》の罪は免れずといえども、このままでは民が農耕の時節を失うことから、まことに恐惶《おそ》れ、頓首《とんしゅ》しつつ、ひれ伏して冀《こいねが》う――

そのような前文ののち、神武《じんむ》天皇、推古《すいこ》天皇、持統《じとう》天皇、清和天皇と、過去に天皇が命じてきた改暦について語りつつ、宣明暦に言及している。

『近歳試立表測晷　正知冬至夏至之日　宣明之暦法後天二日　暦数一差即諸事皆差　農桑過時耕穫失節　月之大小　日之吉凶　無一可者　其誤不可勝言矣』

近年、晷《ひかげ》（日時計の影）を測定し、まさに冬至と夏至の日刻を知り、宣明の暦日との間には二日もの後れがあることが明らかとなった。かくては農耕や収穫の開始の時節が失われ農事に不都合が生じて凶作となるばかりか、月の大小という万民の生活の尺度、日の吉凶というあらゆる宗教的根源が、全て無に帰してしまう。

『今幸逢上聖達于天文者岡野井玄貞　精于暦学松田順承　其餘間有之　仰冀與通星暦之学者議之論之　審正暦象』

だが今さいわいにも岡野井玄貞という天文の達者、松田順承という暦学者がおり、彼らのような者たちに、正しい暦法を議論し、審正して下さるよう、仰ぎ冀う――

と、ここで内裏でも名高い岡野井と松田の名を出すことで、江戸主導の改暦ではなく、あくまで京と江戸、朝廷と幕府の協同事業であることを強調している。

そうした文言ののち、暦法が革《あらた》められることによって、万民はいよいよ農事と宗教と暦法の完全一体となることで豊饒《ほうじょう》となるとともに、後世を助けることになる、これこそ、

『此聖教之先務　王者之重事』

古来の聖教の務めであり王者の重大事であるということを、ひれ伏し頓首しながら勇気を振り絞って謹言する次第である、という語句をもって結びの一文としている。

そして末尾に、

『寛文十三年　歳次癸丑　夏六月中旬　臣安井算哲　上表』

再びその名を記している。

幕臣としての肩書きはまったくない。将軍の意がどうであるとか、これが幕命に等しいとか、そもそもの事業の発起人が将軍家御落胤たる保科正之であるなどといった記述は一字としてない。そしてそれこそこの改暦事業の重要な点だった。

安井算哲という一介の碁打ちにして算術暦学の人が、朝廷と幕府とに同時に呼びかけ、協同の事業として改暦を行うよう請願する。

ときの帝《みかど》は霊元《れいげん》天皇、将軍は四代家綱。この両者の前で、春海はまさにただ一個の

人間であらねばならなかった。何の後ろ盾もなく、いかなる勢力の後押しもない。よって事業開始において朝廷と幕府がせめぎ合う要因は一切ないのだということを身をもって示す。ただ天と地との間に立って星を測る一人の人間としての、丸裸での請願だった。

さらにもう一つ、示さねばならないことがあった。頼るべきは最新の暦法たる授時暦であり、それが最大の公正を民にもたらす、という点である。その暦法こそ、いかなる政治的意図をも超越した、真正たる改暦事業の根拠だった。またその暦法を採用することが天皇と将軍の権威を同時に守り、高めるということを端的に証明してのけねばならない。

そのすべとして春海は以前より自ら考案した一つの方策を用意していた。御城における勝負碁から発想されたもので、生前正之にも是非を伺い、全面的に肯定されている。

上表によって天皇の改暦勅令が下されるのを請願するのとほぼ同時に、春海はその方策を文書化し、まず老中稲葉を通し、大老酒井、さらに将軍家綱に献上している。稲葉も酒井も、既にその方策については生前の正之とともに知っていたが、実際に完成した文書を見るのは初めてだった。

『蝕考』

と題された文書である。

『往歳略之』

すなわち、暦の要点を略記したものであり、またこの要点というのは、宣明暦が誤《ご》謬《びゅう》を犯した〝蝕《しょく》〟についての予報を意味している。

いついかなる蝕が起こるか。既にある宣明暦の予報とともに、授時暦による予報を併記したもので、より真正なるをはかって大統暦《だいとうれき》という明国で用いられていた暦による予報も記した。

『癸丑至乙卯　三歳之間　以宣暦推攷之　日月当食者六』

寛文十三年の癸丑《みずのとうし》の年から、三年目の乙卯《きのとう》の年に至るまで、宣明暦によって予報された日月の蝕は、全部で六回。

今年、六月十五日。癸丑の日。

同年、七月朔日《さくじつ》。戊《つちのえ》辰の日。

甲寅《きのえとら》の年、正月朔日。丙《ひのえ》寅の日。

同年、六月十四日。丁未《ひのとひつじ》の日。

同年、十二月十六日。乙巳《み》の日。

乙卯の年、五月朔日。戊子《ね》の日。

三年分の蝕の一つ一つに、授時暦と大統暦による予報をぶつけ、どの暦法が真に正しいものであるのか、万民の眼前で〝勝負〟させるのである。

裁定者は人ではない。天であり、日と月であり、宇宙に浮かぶ一個の球体たる地球である。これほど公正で、これほど規模甚大な勝負もない。

むろんこのときも、

『寛文十三年夏日　安井算哲　謹攷焉』

としか末尾に記していない。

事業協力者たちの連名すらなく、老中や大老の意などかけらも見当たらない。

事業の支援者である水戸光国の存在、惟足や闇斎ら神道家たちの賛意、正之の遺志を継ぐ会津藩のことも何も載っていない。

まさに乾坤一擲《けんこんいってき》の書である。

陰陽術《おんみようじゆつ》の万象八卦《はつけ》において、乾は〝天〟、坤は〝地〟を意味する。

今、天地の狭間《はざま》に、ただ己一個を擲《なげう》って、春海一世一代の勝負が始まった。

五

元号が改まり、寛文十三年から延宝《えんぽう》元年となった。

夏、春海は江戸にいて、麻布《あざぶ》の礒村《いそむら》塾を訪れている。

二十三歳のとき初めて訪れてから十二年。最後に訪れてからは実に四年半ぶりの訪問だった。

ここしばらく、ひたすら京と江戸を往復し、改暦事業の開始に奔走していたが、久々に自由な時間を得ることが出来た。そしてまた春海が上表を行ったのとほぼ同時期、あの村瀬《むらせ》義益《よします》が、

『算法勿憚改《ふったんかい》』

という算術書を出版していたのである。

世の算術のいかなる誤謬も、〝改めるに憚《はばか》ること勿《な》かれ〟と謳《うた》った書だ。

いかに高名な算術家たちが遺《のこ》し、さらに一般認知されるに至った術理問答であったとしても、誤りがあれば遠慮せず正す、それが算術というものだ。そう断定し、また呼びかけていた。

ゆえに術理の〝証明〟に力を注いでおり、特に勾股弦《こうこげん》の法においては、なぜ勾の平方と股の平方の和が弦の平方の値に等しくなるのかを完全に解明するに至っている。そのためこの書によって、日本で勾股弦の法がごく一般的な常識となるであろうことは間違いなかった。

まさに今の春海の心根にぴったり合致し、畏《おそ》れ多くも帝と将軍様に上表を奉った身

に大いなる勇気を与えてくれる書なのである。

是非とも出版を祝いたかったし、算術について語り合いたかった。

そして自分の事業に関して、一つだけ、村瀬に頼みたいことがあった。

そんなわけで、いつものごとく安藤から干し柿をもらって会津藩藩邸を出た。途中で魚売りの女たちから、鯵《あじ》とかなんとか言われて正体不明の干魚を買い、荒木邸の門をくぐった。

塾の玄関の戸はいつものように開けっ放しである。

塾生たちで混み合う時間帯を避け昼前に来たので誰もおらず、履き物もない。

玄関先に荷物を置きつつ村瀬を呼ぼうとして、壁に貼られた難問の応酬に目がいった。

途端になんとも言えない温かい思いがじんわり胸に染みこんでくるようだった。

会津に召致されてからというもの、改暦事業抜きで純粋に算術のことだけを考える余裕などまるでなかったのだが、今こうして塾生たちの問答を目にすると、ここしばらく縁のなかった、算術を楽しもうとする自由闊達《かったつ》な気分がにわかに甦《よみがえ》ってきた。ほぼいそいそと二刀を腰から引っこ抜いて玄関に置き、懐から算盤《さんばん》を取り出した。

何も考えずに玄関先の地べたにそれを広げ、浮き浮きしながらきちんと正座し、壁一面の難問の群れを見上げた。なんだかそれだけで幸せな気分になりながら、手早く算《さん》木《ぎ》を並べ、ひょいひょいと解いていった。初めて塾を訪れてから研鑽《けんさん》を欠かさず術理修得に励んできた春海であるが、中には咄嗟《とっさ》に解けない難問もあり、三つか四つも解いたら村瀬を呼ぼうと思いながらもやめられなくなって、

「けっこうな問題を出すじゃないか」

嬉《うれ》しげに独りごちつつ五つ六つと解き、解けぬものはしっかり暗記し、大いに幸せなひとときを味わっているところへ、いきなり叱り声が飛んできた。

「これッ！」

突然のことに驚いて腰を浮かし、なんとも中途半端な姿勢のまま、ぽかんと間抜け面をさらして声の主を見た。

ほんの一瞬、箒《ほうき》を逆さに構えた、綺麗《きれい》な娘を見た。屹然《きつぜん》と眉《まゆ》を吊《つ》り上げて警戒の念をあらわにする初々しい娘だった。この塾に邸宅の敷地を提供している荒木氏の末娘であり、春海が金王八幡《こんのうはちまん》の神社《やしろ》で初めて出会ったときの十六、七のままの姿だった。最後に会ったのは、春海が北極出地の旅に出る直前で、十二年も前のことだ。

が、その幻はすぐに消えた。

代わってそこには意外なほど大人びた、そもそも箒を手にしてもいなければ、眉も吊り上げておらず、くすくすと、おかしそうに笑っている、えんがいた。

「お久しぶりです、渋川様」

いかにも落ち着いた態度で言った。どこか懐かしんでいるような嬉しげな調子が声にこもっている。以前と変わらず、あるいはもっと綺麗になったような彼女に、春海はまだぽかんとしたまま見とれた。それから春海も微笑んで膝《ひざ》をはたきつつ立ち上がり、

「やあ、久しぶり」

これまた昔と同様、あるいはさらに輪をかけて朴念仁の見本のような挨拶《あいさつ》をした。

えんはまだ笑いながら、

「昔、地べたでお勉強をしたり腹を切ろうとしたりするのは、よそでして下さいと申し上げたこと、覚えておりますか」

「うん、まあ……すみません」

「私こそ、あまりにお変わりないので、つい失礼を致しました」

てっきり昔のような叱責《しっせき》口調が次々に飛んでくるのかと思ったら、そんな風にいたずらっぽいような調子で言われた。

春海は思わずえんという字を色々と連想した。円みの円か、婉《えん》なる風情か、それとも艶《えん》か。

本人はお塩の塩が良かったと言っていたっけ。実際は、延べるの延のはずだったが、けれどもなんとなく縁を感じる、という意味での縁の字も思いつく。

「いや、私も失礼した。ずいぶん長いこと塾に来ていなかったものでね。ついここの問題が面白くてやってしまいました」

ぼんやり答えながら頭をかいた。確かに春海の髪形だけはこの十年もの間あまりに変わりがなく、恥ずかしいのを通り越してすっかり開き直っているつもりだったが、やっぱりこうしているとかなり気恥ずかしかった。

「そんなことを仰《おっしゃ》って、ご自分のお宅でも、同じように奥方様に叱られているのではないのですか」

ちょっぴり意地悪そうにえんが言う。

「いや――」

言われてみれば確かに、ことの前で地べたに座って算盤を広げたことがあったような気もする。だがことの場合は叱るというより可哀想なくらいびっくりして狼狽《ろうばい》するのが常で、旦那《だんな》様、旦那様、と慌てる妻の声を思い出し、かすかに愁いが胸をかすめた。

「妻はなくてね」

えんがきょとんとなり、

「でも村瀬さんから、京でご婚礼を挙げられたと伺って……」

「亡くしてしまったんだ」

「一昨年の冬にね。もとから丈夫でなかったが、胃の腑《ふ》の病に罹《かか》ってしまった。なんとかしたかったが……何もしてやれなくてね」

「それは……存じませんでした。お気の毒様に……」

「まったく面目もない話だ」

つい反射的に詫《わ》びるようにして頭を下げていた。愁然たる思いが自然と己の声に滲《にじ》むのがわかったが、かつての悲嘆のあまり朦朧《もうろう》と魂が抜けたような調子ではなかった。いつの間にか死別の悲哀を静かに語れるようになっていた。

「あなたのせいではありません、渋川様」

慰めると言うより、事実を述べるようなえんの言い方だった。口調は大人しめだが、やけにきっぱりとした表情である。ほんの一瞬、その綺麗な目のどこかに、気の強い娘の頃のえんが現れたようで、春海はまた頭をかいた。いつまでもどうしようもないことで後悔を引きずるものではないと、暗に叱られているのかもしれないと、ちょっと思った。

「うん……。ところで、えんさんは、何かの用でこちらのお宅に？」

「父母に会いにです。あと、塾の様子を見たり。普段は、石井の家で……私が嫁いだ先の家が、親切にしてくれていまして、とても不自由なくさせて頂いています」

その妙な言い回しに春海は首を傾げ、

「不自由なく、ですか」

相手の言葉を芸もなく繰り返した。

嫁いだという割には、なんだか他人の家に厄介になっているというようではないか。

すると、えんは別段声をひそめるでも翳《かげ》りを帯びるでもなく、はっきりとこう言った。

「良人《おっと》を亡くしたものですから」

なんと同じく一昨年、公務で出た旅先で病に罹って亡くなったのだという。今度は
春海が胸を衝《つ》かれたようになり、慌てて言った。

「それは……ご愁傷様です……。良縁とお聞きしていたが……」

「ありがとうございます。実際、良い人でした。近頃ようやく落ち着きまして……石井家も、とてもよくしてくれておりますし」

「それは、何よりです……」

「はい」

そこで言葉が途切れた。

話題がなくなったというより、不思議な沈黙が降りていた。無言のうちに伴侶《はんりょ》を失う悲嘆を共有するとともに、いい歳の男女が、いっとき青年と娘に戻ってそこに佇《たたず》んでいるような、妙に気分が落ち着くかと思えば、どこか胸が騒ぐ感じもするような雰

囲気である。

「これは何の魚だい渋川さん？」

いきなり声が起こった。春海もえんもびっくりして玄関先を振り返ると、いつの間にか、というよりかなり前からそこにいて二人を眺めていたらしい村瀬の笑顔があった。

「……確か、鯵《あじ》と言ってました」

「ふうん、鯵」

髷《まげ》に白いものが交じるようになったとはいえ、むしろその分、年季の入った男前を披露するようにますます洒落《しゃれ》た着崩し方をするようになった村瀬である。干魚の包みを手に取り、当然のように微笑んで言った。

「じゃあ飯にしようか」

「あんた偉いね、渋川さん。いつだって土産を持ってくるし、大した勝負を塾に持ち込んでくれる」

やけに上機嫌の村瀬が大盛りの茶碗《ちゃわん》をえんから受け取りながら言った。食膳《しょくぜん》に箸《はし》を運ぶ傍ら、もっぱら村瀬の目は春海が持ってきた大きな紙片に注がれている。

春海が将軍様に献上した『蝕考』の抜粋だった。三年間六回分の蝕《しょく》について、宣明暦、授時暦、大統暦の三暦を競わせた、勝負の一覧である。

今日、春海が塾を訪れた理由の一つがそれだった。算術勝負とは違うが、その術理は同じであるのだ、ということで、塾の玄関先の壁にこの紙を貼らせて欲しかった。

この事業において民意は不可欠で、既に春海は闇斎や惟足ら、また幕閣の面々を通じて、この『蝕考』の勝負を出来る限り広く民衆の目につくようはかっている。塾での貼り紙はその方策の一環だった。だがむろん、春海の真意には別の面もある。というより、いざ塾に来てみればそちらの思いの方が一層強くなり、他の目的などどうでもよくなりそうな始末だった。

関孝和。

以前と変わらずこの塾では〝解答さん〟あるいは〝解盗さん〟の異名で通っており、たまに塾を訪れることは村瀬から聞いていた。その関孝和に、この事業を、春海の大勝負を見せたかった。そしてその上で、関孝和に三度目の勝負を挑みたいと願っていた。

具体的にそう村瀬に告げたわけではなかったが、

「三暦並べての蝕の予報とは恐れ入った。暦法はまさしく算術の難題だ。俺も門下生も文句は言わん。関さんだってきっと算術の出題と同じくらい興味を持つだろう」

そんな風にさらりと関について口にしてくれた。いずれ春海がみたび関に出題することをあらかじめ許してくれている口調だった。

「ありがとうございます」

箸と茶碗を置いてきちんと礼をし、

「良《い》いかい、えんさん？」

と真面目に訊《き》いた。

「なぜ私に訊くのです」

えんは呆《あき》れた顔で箸を運び、

「私が決めることではないでしょう。もう荒木家の者でもないのですし」

けっこうにべもなく言いつつ、昔通りしっかり春海の持参したものを食べてくれる。

「ところで、これ、本当に鯵なのですか？」

むしろこちらの方が重大だというような調子で、食べるときだけは娘のときのまま可愛らしいような姿を見せつつ問い返してきたものである。

「まあ……多分」

「鯵にしては小さ過ぎませんか？」

「最近じゃ小振りのを擂《す》り潰《つぶ》して団子にするらしいぞ」

村瀬が答えになっていないようなことを言う。えんはえんで疑問を呈しつつも遠慮無く食べてくれるので、春海はなんだか勝負の貼り出しを許されたことよりも、ほっとなっている。

食後に春海が持参した干し柿をみなで食べながら茶を頂いていると、

「そろそろ良いかな」

村瀬が呟《つぶや》いて席を立った。奥の自分の部屋へ行ったかと思うと、手に一冊の稿本を持って戻ってきて、春海の前に置きつつ言った。

「飯の前に見せると、何も喉《のど》を通らなくなりかねんからな。関さんの新しい稿本だよ」

たちまち春海は凝然となってその書に目を奪われた。

息をすることすら奪われそうなほど微動だにせず凝視した。己の目に喜びの輝きが躍るのが自分でもわかったし、また己のおもてに畏敬《いけい》の緊張が漲《みなぎ》るのもわかった。ただしその己の様子を、えんが楽しげに見つめていることには気づかなかった。

「ここで開くなよ、本当に動けなくなっちまう。まったく凄《すご》いしろものでな、俺は出版すべきだと言ってるんだが、関さんはそんな銭はないの一点張りだ。それじゃあんまりに勿体《もったい》ないんで少しばかり銭を貸そうと思ってるくらいさ。どうだい、持って帰って写すかい？」

「はいッ」

呑《の》み込んでいた息をいっぺんに吐き出すように言って、手を伸ばしかけ、

「……良いだろうか？」

中腰で、えんを振り返った。

「ですから、なぜ私に訊くのです」

「いや、まあ……」

「お持ちになればよろしいでしょう。あなたに読んでもらえることを、きっと関さんも喜ばれると思います」

「喜ぶ？」

「はい」

えんがにっこり笑って断定した。春海はその笑顔にちょっと見とれた。不思議なことに、むしろ、えんの方が喜んでいるような気もした。わけもなく春海は萎縮《いしゅく》したようになって、

「では、謹んで……」

と稿本を胸に抱えた。

「三暦合戦の方は、糊《のり》を貸すから適当に貼っておいてくれないか。後で俺の方で一筆書いておこう。俺はそろそろ近所の子供に算術を教えに行かなきゃならん」

そう言って村瀬は自分の部屋へ引っこんで教書の用意をし始め、春海は馬鹿でかい紙を壁に貼るのを、えんに手助けしてもらった。紙の角を綺麗《きれい》に指で伸ばして貼りつ

け、えんとともに己の一世一代の勝負を眺めた。たちまち怖さが襲ってきたが、今はその怖さを押し返してくれるだけの使命の念があった。自分一人の勝負ではなく、あの保科正之の心意でもあるのだと、うっかり、えんに話しそうになったが、その前にえんがこんなことを言った。

「関さんも、これを見て喜ばれると思います」

「あの……」

「はい」

「なぜ、関殿が喜ぶと……？　私などが……」

「御本人にお訊きになってはいかがですか」

「うん、まあ……」

それこそ、この十二年もの間、春海があえて解かずにい続けた難問だった。

かつて自分がここで誤問を貼り出したとき、関孝和がそれを見て笑っていたという。しかも嘲笑《ちようしよう》していたのではなく、嬉《うれ》しげですらあったと、他ならぬえんから聞いていた。

えんの言う通りにしよう。関孝和に会いに行くのだ。ただし改暦の事業ののち、みたびの出題をしてからだ。それだけのことをした上で会う。万が一、その出題が誤問であったとしても会うべきだった。そこまでしてなお会えぬのならば生涯無理だろうと直感的に理解していた。我ながら不思議なほどの意気地のなさ、あるいは頑迷さ、潔癖さだった。

そのことを口にしようとしたのだが、そこで予想だにせぬことが起こった。

「えんさんは関殿のことを好いているのかい」

なんとそんな言葉が転がり出た。いったい己の中のどこにそんな言葉が存在していたのか皆目わからない。言った後で自分の方がぎょっとなり、呆然《ぼうぜん》となった。

だが、えんはしごく当然の顔のまま、

「私を幾つだと思っているのです」

ぴしりと窘《たしな》めるように言った。

確か今年で二十八のはずだと春海は律儀に頭の中で計算している。えんは、そこらの浮ついた商家の娘たちと一緒にするなというような、武家の娘としてはきわめて自然な態度で、

「私が初めてお会いしたときは既に妻女のある方でしたし」

春海の言葉自体はまったく否定しなかった。ところが、続けてこう言った。

「あなたのお陰で、分不相応にも関さんに出題しようという気もなくなりました」

これは女だから不相応というわけではない。今どきは、そこらの村の娘ですら算術を学ぶ。純粋に算術の腕前のことを言っているのだとわかったが、自分のお陰という

のがさっぱりわからなかった。

「……なんでなんだい？」

訊きつつ、昔のように、存じません、の一言ですっぱり斬り捨てられるのかと思ったが、

「いつの間にか、あなたの出題を見ている方に興味を惹《ひ》かれましたから」

などと、なんだかやけに嬉しくなることを言ってくれた。

「なにしろ人様の家の玄関先で、腹を召そうという傍若無人の方ですし」

と付け加えられ、春海は頭をかいた。御城でもすっかり名物になった中途半端な髪形がまたもや気恥ずかしくなる一方、別の思いも湧いた。もし改暦事業が成就すれば士分に取り立てられるのは確実である。束髪が許され、晴れて二刀が下賜《かし》され、恩賞加増とともに江戸市中に邸宅を与えられる。今の今まで事業をいかに成就させるかばかり考えていた。そもそも妻を亡くした男が今さら士分邸宅を得たところで持て余すだけで、自分には算術修得と事業成就に傾倒する念さえあれば十分だと心のどこかで割り切っていた。

師の山崎闇斎などからは、かえって、

〝人の生は器械ではない。身中の心を殺しては、神の誠もない〟

などと怒鳴られそうな心境である。仏教は世を無とし、儒教は無が四徳たる仁義礼

智の働きに変わるとするが、神道はもっと悠然と生と死を肯定する。死別ののち残された者の新たな人生を後押しし、決して、世は無常だとも、過去に殉じろとも言わない。

春海は、今このとき初めて、勝負が成就してのち自分が得るものを思い描くことが出来たわけである。そして、またぞろ問おうとも思わなかった問いが、ころんと口から零《こぼ》れ出た。

「あの私の誤問を、君はまだ持ってくれているのかい？」

素直に答えてくれるかと思ったら、今度こそあの返答が来た。

「存じません」

言いつつ、微笑んでいる。

「では、この勝負に勝った暁には……」

春海は、貼り出された『蝕考』を見やり、えんを見やり、急に言葉が続かなくなり、

「良《い》いだろうか」

なんとも曖昧《あいまい》な訊《き》き方をした。が、えんが問題にしたのは別のことだった。

「今度は三年も待たせるのですか？」

いい加減にしてくれと言わんばかりに怒られた。いや、既に今年の分は〝明察〟だったし、三年目のは五月の予報のみだから、実際のところ、あと一年と十ヶ月ほどだ

と、なんだかやけにしどろもどろになって説明し、

「……どうだろう」

情けない顔になって怖々と尋ねた。

「五月朔日《ついたち》ですね」

えんは睨《にら》むように『蝕考』の最後の勝負の日を見つめ、

「それ以上は待ちません」

厳しく告げた。

「うん。ありがとう」

ふっと温かで幸福な思いが春海の胸中を満たした。ことが死に、伊藤が死に、正之が死んで以来、絶える一方の思いだった。自分にもまだそのような思いを抱けたことこそ喜びだった。

「勝負の日のたび、勇を鼓して、ここに来ます。それ以外の日にも……」

「私は大抵、月の終わりに、この荒木の家に来ますので」

「うん。どうか病気になどならず……」

「あなたももっと壮健でいて下さい。このような勝負を始めたのですから。病などに倒れては元も子もありません」

「うん」

などと伴侶《はんりょ》の病没を経験した者同士の気遣いというより、根深い不安と願いが入り交じってつい顔を出してしまうような言葉を交わしつつ、春海は借りた稿本を大事に抱えて塾を後にした。自分でもびっくりするほど足取り軽く、駕籠《かご》にも乗らず、珍しいことにそのまま歩いて藩邸まで戻っていった。

春海が立ち去った後、のんびり玄関先にやって来た村瀬は、門の方を見たままのえんの背に、

「一年と十月《とつき》か。それだけあれば喪も明ける」

と言った。

「それはそうでしょう」

えんは、くすくす笑っている。

「楽しみな人だぞ、渋川さんは」

村瀬も笑って言った。

六

それこそ、えんに怒られそうな浮ついた幸福感があったが、そんなものはかけらも残さず吹っ飛ばされた。

『発微《はつび》算法』

そう題された関の稿本であった。

内容は実に〝解答さん〟らしい、遺題の解答集である。

二年前に沢口一之《かずゆき》という算術家が出版した『古今算法記』という、天元《てんげん》術のことごとくを体系化した傑作の書があり、その末稿には十五の遺題があった。いまだ全問を解いた者はいない。

噂では意図的に解答不能の無術の問題も織り込まれているといい、改暦事業に従事している春海、安藤、島田ですら、解けぬ問題があった。

だが今、天意の化身たる竜がそれらを解いた。

関孝和の頭脳が、十五の難題ことごとくを〝解明〟したのである。難題もはや〝解答〟ですらない。まさに術理そのものを解き明かす文書であった。難題を解くために恐ろしく独創的な解答法を、新たに編み出したことからもそれは明らかである。

傍書の法――というのが、その稿本で名づけられた新たな〝算法〟であった。問題を解く過程で、術式の傍らに、未知の値であることを示す記号を記しながら解いてゆく。

遥《はる》かのちの世で〝代数〟と呼ばれることになる計算方法にきわめて類似した、中国から伝わったのでもなければ、日本に古くからあったのでもない、実に、この関孝和という個人が、数理算術の渦中に身を投じて発明した、まったく新たな算法であった。

（算術が変わる）

その直感に襲われ、ほとんど涙ぐみながら衝撃的な感動の念に打ち震えた。

（算学の誕生だ。この大和《やまと》の国の算学。和算だ）

まぎれもない日本独自の算術流派が、この稿本において出現したことを春海は悟った。

しかもそれは算術そのものの在り方を一変させる可能性を持っている。近い将来、これこそ日本全土の、即ちは大和の算術となるだろう。そして和算と呼ぶべきものが生まれるだろう。

そしてその和算は、関孝和の思想によって算学へと化身するのだ。朱子学における基礎教養を意味する小学のように、誰もが学ぶことが可能で、決して超人業などではない、真に術理と呼ぶに値するものが、世に遍《あまね》く広まるに違いないのだ。

（これが天意だったのだ。このために天はあの方を地に降《くだ》された）

本気でそう思った。心酔を通り越し、崇拝に近い念すら抱いた。それほど途方もなかった。

自分が必死に駆けて駆けて追いつこうとし、ここまでやったのだと一瞬の満足を得た途端、釈迦《しゃか》の手のひらのごとく己の卑小さを知らしめ、仮初めの満足を粉々に吹き飛ばしてしまう。そんな関孝和に、この自分が出題する？　もはや畏《おそ》れ多い、という気持ちと、それでもこのまま挫《くじ》けてはならない、という思いが交錯し、結局のところ、（私にはこの事業がある。改暦という一大事業が。関殿とは違う事業の担い手なのだ）

それが最後の拠《よ》り所となって、危うく何もかも投げ出し、あの礒村塾からも逃げてしまいたいような思いを打ち消すに至ったのだった。

ぱーん。実に十余年ぶりに、関孝和という天与の才を具《そな》えた存在に向かって、激しく拍手《かしわで》を打った。ぐるりと時が巡ったようだった。まるで北極出地に旅立つ前の、ことを娶《めと》る前の、自分がいかなる役目を担うか知りもしなかった頃の自分に戻ったようだった。いや、それよりも一段高いところに立ち、下からこちらを見上げる過去の自分と、静かに目を合わせていた。

巡り巡って昔の自分に遭遇し、驚きながらも満ち足りたひとときを味わった。

脳裏にはいまだ見ぬ一瞥《いちべつ》即解の士の朧《おぼろ》でいて何にも比して強烈となる一方の存在があり、また一隅には、えんの微笑みがあった。そしてそれらの向こうに春海にとって始原の光景となった、あの天守閣喪失後に清々と広がる青空があって、その虚空の隅々に至るまで、建部や伊藤やことや正之ら親密な死者の霊たち、八百万《やおよろず》の神々とともに、この新たな時代に生きる自分たちの可能性を追い求める思いが果てしもなく満ちていった。

からん、ころん。

どこからか、あの幻の音が聞こえる。金王八幡宮で聞いた、絵馬たちの立てる音。人々の算術への思い、そしてまた、一瞥即解の士がもたらした、春海の人生の音だった。

今、自分は勝負の真《ま》っ只中《ただなか》にあるのだ。その実感が、何度も押し寄せては気を昂《たか》ぶらせた。

遥か彼方《かなた》にあって、とても手が届きそうにないと思われていた、己だけの春の海辺が、もうそこまで近づいているのだ。そういう確信が込み上げてきた。

だがしかし、そうではなかった。

七

地獄が訪れた。

それはかなりの時間をかけて、まったく後戻りの出来ぬ状態になるのを待っていたかのようであった。光明溢《あふ》れるものの向こうから誰の予想をも覆し、多くの者たちの思いを打ち砕いて春海を奈落《ならく》の底に突き落とさんとすべく、それは突如としてやって来た。

寛文十三年。『蝕考』に記された六月と七月の宣明暦の予報は、

〝月蝕《げっしょく》四分半強〟

〝日蝕二分半強〟

いずれも、春海がえんに語った通り誤謬《ごびゅう》であり、実際に日蝕も月蝕も一分として起こっていない。よって授時暦および大統暦が予報した〝無蝕〟が〝明察〟となった。

その年、改元があり、続いて延宝二年、正月朔日《さくじつ》。

〝日蝕九分〟

との宣明暦の予報がまたもや外れた。日蝕自体が起こらなかったのである。

寛文十二年の十二月十五日から、四回続けての宣明暦の誤謬となった。

正月が明けてしばらくして春海が儀村塾を訪れると、壁に貼られた『蝕考』のうち最初の三つに、それぞれ、

『明察』

の二字が村瀬によって書き記されていた。また『蝕考』の傍らには、これまた村瀬の字で、『門人一同右ニ倣ヒテ暦法推算シ競フ可《べ》シ』と別紙が貼られている。自分た

ちもそろばんで蝕を算定せよとけしかけているのである。既に多くの〝予報〟が書き加えられ、さらには『誤謬也』『誤リ』といった文字がそこかしこに躍っていて、こうした塾で『蝕考』が大いに衆目を集めていることを如実に物語っていた。

その光景に心地好《よ》い緊張を感じたものだが、一つがっかりしたのは、

「関さん、来なかったそうです」

新年の挨拶《あいさつ》に出かけている村瀬に代わって、逆に生家に顔を出しに来ていたえんに、そう教えてもらったことだった。

「そうか……」

いかにも意気消沈した顔をさらし、

「あと三回ある。きっと見てもらえるさ」

しいて自分を励ましたものだ。えんも賛同してくれつつも、どこか思案げだった。

それから間もなく、春海は京に戻っている。

その頃には多くの者たちがこの〝三暦勝負〟に注目し、その数は増す一方であった。天文家や暦学者のみならず、公家《くげ》層や宗教勢力はむろんのこと、全国の大名たち、津々浦々の算術家たち、そして星も暦法もあまり知らない幕府の閣僚から下位身分の者たち、果ては碁打ち衆の面々に至るまで、この春海の勝負を興味を持って見守るようになっていた。

そしてそれゆえ当然のごとく毀誉褒貶《きよほうへん》が甚だしく生じ、

〝囲碁侍こと安井算哲なる一介の碁打ちに過ぎぬ身分の者が、八百余年を誇る宣明暦の伝統に斬りかかった〟

〝愚劣な出しゃばり〟

〝汚らわしい売名〟

と嫌悪を示す者も多かった。そればかりか、

〝天意を汚す不届き者、誅《ちゅう》すべし〟

などと記された、差出人不明の、殺害予告めいた脅迫文が会津藩邸に投げ込まれるということさえ起こった。これを知った会津藩士たちが犯人を捜し回ったが、結局、見つからなかった。

ただ、どうやら背景には、あの山鹿素行に共鳴した武士たち、あるいはその教えを拡大解釈した浪人たちがいるらしい、ということがわかった。保科正之の主張で、山鹿の配流決定が下されたということは薄々、城中でも知られるようになっている。そしてまた会津藩邸で生活する春海が、今回の改暦事業をぶち上げたことに、正之の推進《はいる》があったことは推察できる。

配流先の山鹿が、改暦についての反対意見を武士たちに吹き込めるはずがない。武士としての過激な自己実現を望む者たちにとって、春海のように〝武士像や武士

の常識を引っ繰り返す〟存在は、理屈を超えた抹殺の対象になりかねない。というより標的に意味はなく、たまたま目について、話題になる相手なら、自動的に憎しみの対象になる。

そんなわけで一時、安藤以下、数名が、春海の護衛につけられた。春海としては、まさか本当に自分の命を狙う者がいるなどとは思っていない。偉人たちが尽力して作り上げた、この泰平の世で、文化事業を刀で抹殺できるものか、という強気な思いすら湧いていた。正之が志した民生の観点からしても馬鹿馬鹿しいこと限りない。

安藤も島田もその思いに共感してくれた。闇斎など、怒りをにじませながらの呵々《かか》大笑でもって、「無知以前の唐変木ども、恐るるに足りん」と斬り捨てている。

結局、脅迫も嫌がらせに過ぎず、春海は改暦事業の仲間たちとともに悪罵《あくば》を無視した。

ときに、碁会への出席を拒まれることもあった。理由は様々だったが、要は、〝天意に従う〟ことに真っ向から反した春海の態度に、武士も僧も公家も少なからず反感を示したのである。

春海としては、あの正之の半ば盲《めし》いた目にやどる、至誠の二字にふさわしい意志の輝きを思い出すだけで、どんな罵詈《ばり》雑言も聞き流すことが出来た。脅迫などまったく気にならなかった。

それからしばらくして、村瀬から便りとともに一冊の書が春海のもとに届けられた。

ついに関孝和が生涯最初の算術書たる『発微算法』を出版したのである。村瀬が出す銭を断る代わり、稿本に比べてだいぶ内容を削《そ》ぎ落とした、ほとんど解答のみの書となっていたが、世の算術家たちに激震をもたらすことは確実だった。実際、碁会などでも、算術好きの仏僧といった者たちの口に関孝和の名がひんぱんに上るようになっていった。

そして春海にとっては、悪罵や脅迫などよりも、よっぽどひやひやすることだが、『古今算法記』の遺題十五問をことごとく解いた関孝和と、改暦事業をぶち上げた安井算哲こと渋川春海を、同時代・同年齢の改革者として両者ともに称《たた》える声も聞こえるようになったのである。

春海としては、素直に喜びを抱く一方、どうにも不遜《ふそん》の思いにびくついてしまうのだった。

やがて延宝二年六月十四日。

宣明暦の予報は、丑寅卯《うしとらう》いずれかの時刻の間に十四分の月蝕。大統暦は同じく丑寅卯いずれかの時刻の間に十分から九分の月蝕。そして授時暦は、寅から卯の時刻にかけて十分から九分の月蝕。他の二暦に比して、かなり狭い範囲で予報を出していた。

結果は、ぴたりと授時暦の予報が合致。

これまで宣明暦の予報に対して〝無蝕〟を予報していた授時暦であったが、この四度目の〝勝負〟において、精確な蝕の予報を出すことによる〝明察〟を勝ち取ったのである。

「本当にそろばんなどで日月の運行がわかるものなのか……？」

半信半疑だった御城の幕閣の面々も、俄然《がぜん》、改暦の実現を信じ始めた。春海に対する悪罵がびっくりするくらい消えてなくなり、脅迫はぴたりと絶えた。拒まれていた碁会も、むしろ春海を目当てでわざわざ開かれるようになった。このまま春海が勝負に勝てば、城中で武士に等しい地位を得ることが確実だったからであろう。あからさまに春海に対する追従《ついしょう》が増えた。

酒井からは、正之の死の直前に碁を打って以来、指名されたことはなかったが、もう既に老中稲葉と今後の改暦の算段を話し合っているらしいという噂が流れた。

御城の中でそうした噂が流れるということは、酒井が意図的に流しているということである。城中の意見を今のうちから取りまとめておくための布石であり、むろんのこと将軍様御同意のことに違いなく、どれも春海が既に予想していたことであった。

予想になかったのは関孝和のことで、なんとこの一瞥即解《いちべつ》の士は、ぱったり礒村塾に来なくなってしまっていた。まるで春海が『蝕考』を持ち込んだことが関に伝わっ

たせいであるかのようで、

「私は関殿を不快にさせたのだろうか」

想像するだに悄《しょ》げる春海だった。

「まさか。そんなはずは……」

えんも慰めてくれるし、村瀬も笑って春海の言葉を否定してくれた。

「暦法を革《あらた》める大事業だ。面白がることはあっても、関さんが気を悪くするなんてことはないさ。もしかしたらあんたと同じように、お勤めで何か大任を受けたのかもしれんぞ」

だが関は一向に塾に現れず、春海の『蝕考』を目にしてくれることもなかった。

確かに、何か重大な任務を授けられて身動きが取れないということは、関の天才振りを考えると最も納得がゆく。が、春海としてはどうにも素直にそう信じることができなかったし、えんも、何となく思案げな様子だった。

延宝二年十二月十六日。

宣明暦および大統暦は丑寅卯の時刻に皆既月蝕《げっしょく》の予報。これに再び授時暦がより狭い範囲で、即ち寅から卯の時刻にかけて、ぴたりと月蝕皆既なるを予報した。

結果、授時暦が見事に合致。礒村塾に貼られた『蝕考』に、五つの『明察』の文字が並び、朝廷と幕府においてはいよいよ改暦の準備が整えられ始めた。

延宝三年正月、京都所司代から老中稲葉へ、朝廷においては改暦の勅が出される意向が固まりつつあるようだと報《しら》せが届き、それが春海にも伝えられた。

二月、京の生家に戻った春海は、闇斎と惟足に会っている。彼らが言うには、神道家たちがおおむね改暦賛意で結束し、早ければ年内にも、各社の頒暦《はんれき》を宣明暦ではなく授時暦をもとにしたものに変える用意をし始めているとのことであった。

三月、改暦の勅令が出され次第、幕府は改めて春海に改暦事業を担わせ、朱印状をもって頒暦統制を行うことが、老中稲葉が春海に宛てた便りにおいて明記されていた。

四月、将軍家綱が、先代家光の二十五回忌法会を上野寛永寺《かんえいじ》で執り行った。その際、大老酒井の意向を受けて、老中稲葉は仏教勢力と改暦事業について議論し、春海が正之のもとで構築した〝幕府天文方〟の構想が、おおむね彼らに受け入れられたことが確認された。

そして五月朔日《さくじつ》、悪夢が起こった。

宣明暦の予報では、午《うま》から未《ひつじ》の時刻にかけて、三分弱の日蝕。

大統暦は日蝕なし。

授時暦も明白に〝無蝕〟と断定。

午から未の刻に至る間に、日蝕はついに見られなかった。朝廷はこれをもって改暦の勅へと動き出し、幕府では大老酒井が老中稲葉とともに春海に改暦事業を命じる文書に判を押さんとし、さらには礒村塾では村瀬が『蝕考』に向かって筆を構え、『明察』

その二字を記さんとしたとき。

未の刻から遅れること半刻《はんとき》、ほんのかすかながら、それが生じた。改暦に興味を持つおよそあらゆる者がその様子を見て取り、また報せを受けて、一切の手を止めた。

日蝕。

僅《わず》か一分にも満たないようなそれが、しかし紛れもなく生じたのである。

あらゆる者の予想を覆しての蝕。三暦のうち宣明暦のみが時刻を外しながらも合致。

そして『蝕考』に記された六つの予報、その最後の最後において。

授時暦が、予報を外した。

八

五月初め、春海は江戸にいた。

常であれば、どれほど早くとも出府は八月頃であったが、老中稲葉から緊急に呼びつけられ、夜を日に継いで急行し、内桜田門《うちさくらだもん》前の会津藩藩邸の一室に待機することとなった。

同室に安藤がいてくれた。いや、家老の友松に命じられてそこにいるのだった。

血の気が引いて顔面蒼白《そうはく》となりながらも熱でもあるかのようにびっしりと脂汗を浮かべた春海が、朦朧《もうろう》と宙を見つめしきりに身を震わせ、瘧《おこり》に罹《かか》ったがごとく戦慄《わなな》くその手で、まったく無意識のまま、脇差しの柄《つか》を撫《な》で回すようにしているのである。いつなんどき衝動が高まって刀を抜き、自刃し果てぬとも限らない。そう判断した友松が、同じ事業参加者である安藤を、監視役としてつけたのであった。

うう……と春海の口からときおり低く呻《うめ》き声が零《こぼ》れた。安藤はじっと春海のそばに坐《ざ》し、春海が刀を抜けばすぐさま制止する態勢にある。春海はその安藤の様子にも気づかない。授時暦が予報を外したときから、衝撃のあまり頭脳がぐずぐずに溶けたような、到底まともな思考ができる状態になかった。が、もう間もなく城に呼び出されるという段になって、

「な、なんで……？」

やっと、子供が泣くようにそのひと言が出た。世に名だたる知者たちの力を結集しての事業だったはずである。よもやこんなところで頓挫《とんざ》するなど、思いもよらないどころか、訳がわからなかった。生まれて初めて、心の惑乱こそ、この世で最も酷《むご》たらしい拷問にも勝る苦痛をもたらすのだと思い知った。

安藤も、いっとき目を伏せ、無念さの余り肩をいからせて言った。

「……わかりません」

春海の坐相がみるみる崩れた。脇差しを撫でていた手でかろうじて身を支え、そのまま失神するという恥だけは免れた。安藤が慌ててその肩を支えてやったとき、城から使いが来たことが報された。春海は指示に従い、病者のごとく蹌踉《そうろう》となって藩邸を出た。見送る安藤も、何一つ励ましの言葉をかけられず、沈黙する他なかった。

御城に登り、案内されて松の廊下を進んだ。まるで死罪を宣告されに行くようだ、と春海の姿を見た者たちはささやき合ったし、春海自身、まったくその通りの思いだった。

御城の茶坊主衆に案内され、白書院の乾《いぬい》の方角、すなわち北西にある波の間、竹の廊下と進んだ。そこでやっと、その先に何があるかを悟った。今度こそ気を失ってしまうだろうと思ったが、どんな神霊の加護があったものか、身は見苦しいほど震えていたものの、最後まで意識を保つことができた。

許しを得て部屋の前で平伏した。黒書院は、四室からなる空間である。主に、御三家や大老や老中、あるいは特殊な役にある諸役人に、将軍様が対面する場所だった。その南の入り口側にあって、床に鼻先をくっつけたままの春海の頭上で、がらりと戸が開かれた。

「面を上げよ、安井算哲」

大老酒井の声だった。いつもと変わらぬ淡々とした調子である。だが春海は顔を上げられずにいる。主君に対する芝居がかった畏怖《いふ》の礼などではない。心から怯《おび》えきっていた。

「顔を見せよ、算哲」

別の声が飛んだ。ほとんど猛獣の唸《うな》るような迫力をもった、水戸光国の声だった。この人の場合、礼儀は尊ぶが、演技は忌み嫌う。芝居がかっているなどとみなされれば将軍の御前であろうと殺傷されかねない。春海は恐怖で凍りついた身を、別の恐怖で無理やり動かされるという、死にたくなるような苦痛を味わいながら、顔をさらした。

最初に見たのは光国だった。意外なことに、春海がほぼ確信していた、憤怒《ふんぬ》の表情ではなかった。むしろ心から春海を憐《あわ》れみ、今のこの状況に納得がゆかぬと言うように、ひどく哀しげな顔をしている。だが光国がそのように思ってくれていたとしても手遅れだった。

大老酒井、稲葉ら老中の面々、そして上段に、将軍家綱がいた。いつもながら静かに春海を見下ろしている。初めて御目見得《おめみえ》してから二十四年、当然、直接に御言葉を頂戴《ちょうだい》したことはなく、このときも春海から将軍様へ何か言うといったことはありえない。

だがその一瞬、もし授時暦が最後の予報を当てていたら、という傷口に塩を塗り込むような思いが湧いた。もし、そうなら。この部屋、この場で、将軍様より天文方に任じられることが許され、晴れて改暦事業の開始となり、そしてそれが成就した暁には——

夢見たもの、失われたものを、再確認させられることこそ地獄だった。春海は危うく嗚咽《おえつ》の声を上げかけた。堪《こら》えに堪えながら再び平伏した。

「何ぞ言いたいことはあるか」

酒井の機械的な声が響いた。むろん申し開きなどできる状況ではない。春海はただぶるぶる震えながら、

「も……も……申し訳も……ございませぬ……」

たったそれだけの言葉を吐いたがために、己の魂魄《こんぱく》が粉々に砕けた思いがした。

低い唸り声。光国の憐れむような嘆息だった。

僅かに沈黙が降りた。

そして、春海にとって生涯忘れられぬ言葉を、酒井が放った。

「算哲の言、また合うもあり、合わざるもあり」

この一瞬で、改暦の気運は消滅した。

亡骸《なきがら》のような日々が過ぎていった。

生きたまま墓に埋められる思いがどんなものか思い知らされるような毎日だった。しかも実際にそうされれば死は確実であるというのに、春海の状況においてはそれも許されなかった。

九

春海に対する悪罵《あくば》や脅迫はのきなみ嘲笑《ちょうしょう》に変わった。そら見たことかと武士も僧も公家《くげ》も揃って春海の無謀を笑い、〝天意〟の深遠不可思議さを有り難がった。

六月。信じられないことが起こった。将軍家綱が、三代家光の二十五回忌法会の恩赦を実施し、その対象に、あの山鹿素行もふくまれることになったのである。

正之の理想、幕府の在り方、両方と決定的に対立した『聖教要録』の出版の罪により、配流《はいる》となっていた山鹿が、恩赦によって解放された。八月、江戸に帰還。かつて山鹿を将軍の侍儒にと推薦した、大奥の一大勢力を担う祖心尼は、既に今年三月に死去している。山鹿の恩赦が何か政治的な意図をふくんでいたとは言い難いが、それにしても出来すぎだった。山鹿が陰で発起人となり、春海が実現せんとした改暦事業が水泡に帰した直後なのである。

とはいえそこで山鹿が何か特別な思想を江戸で展開し始めたというわけではない。以前の弟子たちや、訪れる武家の者たちを相手に、兵学を講義するだけで、本人は静かに余生を送る気でいるようだとのもっぱらの噂である。

ただ、どこかの誰かが、

「改暦の儀というものが取り沙汰《ざた》されておりましたが、山鹿先生は改暦についていかなるお考えをお持ちですか」

と山鹿に訊《き》いたらしい。そして山鹿の返答は振るっていた。

「もって嗤《わら》うべし」

天意の前では〝仕方なく慎む〟という古学の美徳からすれば、暦の誤りを正そうとすることなど、愚かを通り越して唾棄《だき》すべき無駄である。

そのような話が会津藩藩邸に伝わった。主君の悲願を鼻で笑うような山鹿の言に、安藤が怒りの眼差《まなざ》しになるのをよそに、春海はただ茫々《ぼうぼう》と宙を見つめるばかりだった。

夏の終わりに闇斎が江戸に来て、しきりに事業続行の方策を語ってくれた。だが春海の心はそれに共鳴せず、力無くうなずくばかりである。やがて闇斎も口をつぐみ、

「……駄目か」

ぽつっと言った。

「わからないのです」

そう告げる春海の掠《かす》れた声が、師を前にして、初めてまともに嗚咽へと変じた。

「なぜ授時暦が蝕《しょく》の予報を外したのか、わからないのです」

精確無比の授時暦が予報を外すわけがなかった。どこかで術理を誤って修得し、そのまま検証されることなく実行されてしまったのだ。だがその誤謬《ごびゅう》がわからない。調べても調べても自分の何が悪かったのか見当もつかないのだ。これでは再び事業を軌道に乗せようにも、いつなんどき同じ目に遭うかわからなかった。そう泣いて訴えた。

闇斎はそれでも希望を棄てないようにと言い続けたが、希望を持とうとすること自体が春海には苦痛だった。

八月。幽霊のように会津藩藩邸で無為に過ごしていた春海は、碁打ち衆が各地から御城碁のために出府して来るに従い、呆気《あっけ》ないほど簡単に碁の勤めに引き戻された。

改暦を任されて失敗したことを、義兄算知も知哲も慰めてくれたし、多くの同僚が何かの冗談のように笑った。道策でさえ、気の毒そうにしてくれてはいたが、結局、改暦というものが具体的にどのような意義をもったものであるか、理解する者はほとんどいなかったのである。

それは碁打ち衆ばかりか、御城の大半の者たちにとっても同じだった。いや、この改暦に秘められた思い、そのための膨大な労力、深遠な数理、いずれも理解する者の方が少なかった。

また何より、事業が失敗したとき、幕府に傷がつかぬよう入念に算段が整えられていたのである。春海にとっては、それが救いでもあり、また苦痛でもあった。まるで二刀を与えられて十四年間、ひたすら無駄なことに精魂を費やしてきたような気にさせられた。

ちなみに二刀は、いまだに返納を命じられていなかった。御城に呼ばれた翌日にも寺社奉行の者から返すよう命じられるのを予想し、その前に自刃しようかと何度も思ったものである。

だが考えてみれば、春海の勝負が敗北に終わった直後に刀を取り上げたら、幕府の後ろ盾による事業だったと公言するようなものだ。きっと何かの折りに別の理由をつけて返納させられるだろう。くそ重たいだけで何の意味もない刀になど未練はない、と自分に言い聞かせはしたが、やはり失うのは辛《つら》かった。これだけ長いこと身に着けさせられ、またそれが正之の心意であり、酒井の推薦によるものであったことを考えると、自分の大事なものを自分の愚かさゆえになくしたのだというやるせなさに苛《さいな》まれた。

そして喪失は続いた。

九月。会津藩家老の友松が〝土津神社〟の完成をもって晴れて隠退した。かと思うと、その謹言誠実な態度が災いし、同僚による讒言《ざんげん》が生じた。藩主正経はそれを真に受け、友松の家禄《かろく》を没収、自宅幽閉の罰である蟄居《ちっきょ》を命じた。側近が果敢に反対したが正経の意は変わらなかった。隠退した尽忠無比の元家老を蟄居させるなど正之がいた頃は考えられなかったことである。

山鹿の赦免にしろ、正之が死んで僅《わず》か数年でこれかと思うような事態の連続だった。

さらに十月。自ら碁所《ごどころ》に就くことによって勝負碁を城に根づかせた春海の義兄、算知が、二十番碁たる空前絶後の争碁の果て、本因坊道悦に、負けた。それでもなお、

「安井家に一日の長あり」

との評判が続くほどの算知の健闘であったが、碁所の座は、本因坊道悦に譲り渡された。

かくして安井家は、義兄・義弟ともにそれぞれの勝負に敗れ去った。

算知はそれでも碁に人生を献《ささ》げることを本望として出仕を続け、勝負碁の定着にさらに貢献したが、春海は全てにおいて気力喪失の日々を送っている。

なお、この年の御城碁における春海の戦績は、白番の道策相手に十六目の負け。惨敗ではあったが、ただし、ことが死んだときのような悪手の連発というわけではなかった。

というより、春海の悪手の一つや二つなどまるで問題にならぬほど、異常なまでに道策が強くなっていたのである。将軍様を始め、居並ぶ大老・老中の面々ばかりか、

碁打ち衆の四家いずれもが感嘆し、また驚愕《きょうがく》するほどの腕前だった。

（碁が変わる）

直接対戦した春海にはそれが確実なものとして実感された。

（天が地に降《くだ》された竜が、ここにもう一人いるのだ）

関孝和が新たな解答法を考案したことによって算術そのものが変わるように、道策の打ち筋は、いずれ碁そのものに不可逆の革新をもたらすはずだった。

かつて江戸城から天守閣が喪《うしな》われたときのように、新たな時代が、新たな世代によって拓《ひら》かれようとしているのだ。そんなときに、この自分はいったい何なのか。家督に飽きを抱いて碁に専心せず、算術も天文も暦法も全て不甲斐《ふがい》ないほど未熟にとどまり、果ては一族揃って大恩ある保科正之の心意すら成就できなかった。なんだこれは。このような無念さ、生き恥にまみれるために自分は生まれてきたのか。こんなことのために今まで生きていたのか。そんな絶望に囚《とら》われたまま、やがて延宝三年という春海の生涯において最低最悪の年が過ぎていった。

明けて延宝四年正月。

雪解けを待って京に戻るばかりとなったある日。

会津藩藩邸の庭で、雪をかぶった日時計の前でぼんやり突っ立ったまま、春海は何をすれば良いかもわからず馬鹿みたいに澄み切った青空を眺めていた。雪をどけて影の長さを測るという長年の習慣に従って庭に出てみたけれど、もはや地に差した影を見ることすら厭《いと》う思いに襲われる有り様だった。かつては嬉々《きき》として行っていたその作業が、苦しみそのものに変わってしまったことが哀しく、なすすべとてなく、どれほど手を伸ばしても届かぬ天を仰いでいると、ふいに足音が背後から近づいてきた。

おそらく安藤だろう。春海が悲嘆のあまり日時計から逃げがちになる一方で、安藤は律儀に観測を助け、その記録の穴を埋めてくれていた。その安藤の誠意のお陰で、春海が完全に日時計を棄てるということはなかった。だがいずれ春海が事業再起を志してくれるはずだという安藤や島田や闇斎の無言の思いは、ただ春海を責め苛《さいな》むばかりとなっている。

「それが、日時計というものですか?」

だが背後で起こった声は安藤のものではなかった。それどころか、まさに春海が完全に逃げ腰になったまま、毎夜、明日こそは詫《わ》びに行かなければと己に命じながらも、ついに勇気を奮うことができず、延ばし延ばしになっていた相手だった。

あまりのことに、そのまま振り返らずに駆け出しそうになりながらも、顔は勝手に振り返り、体がそれに追従した。

「な……なぜ、ここに?」

怯《おび》えたように声が震えた。

「御屋敷の人にお訊《き》きしたところ、あなたは庭で日時計を見ていると伺いましたので」

えんはそう言いながら、春海ではなく、物珍しげに日時計の柱の方を見ていた。

「あ……いや、そういう意味ではなく……」

「あなたにお会いするために来ました」

きちんと言い直された。

「うん……あの、それは、なぜ……」

えんが春海を見た。静かだが如実に怒りを訴える目だった。

「なぜあなたは塾にいらっしゃらないのですか」

「も……も、申し訳も……」

「関さん、来ました」

「行こう行かねばと思い……」

「あなたへ出題しました」

詫びと言い訳と今の心境とを何とか口にしようとしかけ、

「へっ……？」

遅れて相手の言葉を理解し、素《す》っ頓狂《とんきょう》な声で訊き返していた。

「やっぱり御存知なかった。もう半年余りも前のことなのですよ」

えんは、そこでちょっと溜め息《た》を零《こぼ》した。

気づけばいつしか妙に優しげな目で春海を見ている。かと思うと、あたかも会う前から今の打ちひしがれた春海の様子を知っており、それゆえ誰よりも頼もしい味方を引きつれてきたとでもいうような調子で、こう言ったのだった。

「あの暦の最後の勝負で、あなたが誤謬《ごびゅう》となった次の日。関孝和さんが塾へ来ました。そして、あ、な、た、に、出題したのです。あ、な、た、を名指しで、設問を塾に残されて行ったのです」

春海が三十八歳のときのことであった。

第六章　天地明察

一

夢が藻屑《もくず》と消えてからおよそ八ヶ月後の延宝四年、一月。

春海は、藩邸を訪れたえんとともに麻布の礒村塾へ向かっている。

雪解けの泥を撥《は》ねながらせっせと自分たちを運んでくれる駕籠《かご》の中にあって、春海は己の頭脳までもが泥化したかのような惑乱に陥っていた。

(あの関孝和殿が、私に出題した)

その驚愕《きょうがく》の一事が、改暦勝負に敗れ、羞恥《しゅうち》と慚愧《ざんき》の念にまみれるあまり、今の今までえんや村瀬に合わせる顔すらなかった春海をして、塾へと急行せしめていたのであったが――

(なぜだ。なぜ関殿が)

考えれば考えるほど、ありえないという思いに困惑が募った。これまでまったく出題をせず、ただ〝一瞥《いちべつ》即解〟するのみであることから塾でも関の存在に怒りを抱く者すらいるのだ。それでも関の才能から、〝解答御免〟が許されたのである。その関が、長年の態度を突然変化させ、ついに設問を行っただけでも十分に衝撃的だった。しかもその上、

（改暦勝負に敗れた私を名指しにした）

その一点がとにかく驚きで、喜ぶべきか怖れるべきかもわからない。出題するなら自分から関に、というかたち以外にありえないと信じ切っていた。あまりに予想外で、もしや担がれているのではと何度も考えたが、えんが嘘をつくとも思えず、関本人が現れて直接出題したというのだから他の誰かが関の名を騙《かた》ったわけでもない。こうなると敗北の恥がどうとも言っていられず、ただ事実を確かめたいがために塾へ向かったのであった。

荒木邸に到着し、えんが遠慮するのも構わず駕籠代を二人分支払い、慌ただしく塾へ入った。

正月が明けたばかりで塾生は誰もおらず、村瀬も挨拶《あいさつ》回りで出ているとのことである。

無人の沈黙に満ちたその建物の入り口で、

「――あちらです」

えんが示した一角に、確かにその存在があるのを見て、春海は激しい動悸《どうき》を覚えた。

『渋川春海殿』

壁に貼られた紙に黒々とその名が記されている。そしてその横に記された設問を一読して春海は呆然《ぼうぜん》と棒立ちになった。

『今有如図　日月円蝕交《しょっこう》　日月面相除シテ七分ノ三十　問日月蝕ノ分』

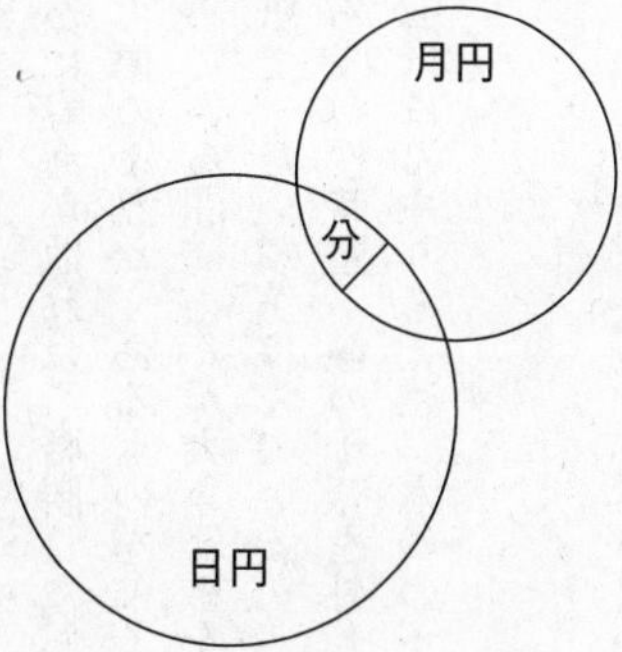

『今、図の如く、日月の円が互いに蝕交している。日円の面（周の長さ）を、月円の

面で割ると七分の三十になる。分（日月が蝕交している部分の幅）の長さを問う』

そして末尾に関孝和の名があった。

日と月、その蝕――明らかに春海が敗れた三暦勝負にちなんだ設問だった。そしてそれ以上に、自分にとって古傷のような、あるものを強く想起させられた。

微動だにせずそれを見つめている間、えんが大きな紙を持ってきていた。あの『蝕考』の抜粋たる三暦勝負の紙で、だいぶ黄ばんでいる。二年ほどの間、ここに貼られ続けていたのだから当然だろう。授時暦が蝕の予報を外してからどれほどの期間、恥をさらしていたろうかと春海はぼんやり考えた。六つの予報の最後である延宝三年五月朔日《さくじつ》の箇所に、

『惜シクモ明察ナラズ』

と村瀬の字で記されている。『誤謬《ごびゅう》』と書かないところに村瀬自身がこの結果に悔しさを抱いてくれたことがあらわれていた。

「……お持ちになりますか」

えんがそっと訊《き》いた。春海はのろのろとその紙を受け取った。そうしながら、今、意識の大半が、敗れた勝負から、今ある関孝和の設問に引き寄せられているのを覚えた。

設問に挑んだ塾生たちの、てんでんばらばらな解答が幾つも貼りつけられている。

だがいずれに対しても誤謬か明察かは断じられていない。春海を名指しにした問題であるから、春海が解答して初めて誤謬か明察かが記されるのが通例だった。だが、これはそういうものですらない。

「……わからない。なぜだ。なぜなんだ」

「渋川様？」

「なぜ関殿はこのような設問をしたのだ。これは……こんなものは、答えようがない」

えんが神妙な顔つきになった。

「村瀬さんも薄々そうではないかと……。それに、これは、あなたが昔作った……」

「あの誤問と同じだ。これに解答などない。問題自体が間違っている病題だからだ」

解答があるとすれば、解答不能を意味する〝無術〟の二語のみ。そして過去にそれを一瞥して見破ったのは他ならぬ関本人ではないか。それを今さらなぜこの自分に示そうとするのか。

ますます惑乱するばかりの脳裏に、ふいに何かが引っかかった。

「えっ……？」

誰かに突然予想外のことを言われたような間の抜けた声が零《こぼ》れた。ついで卒然と全てを悟った。途方もない解答が頭上から轟音《ごうおん》を立てて降ってくるような感覚に襲われた。

「ま……ま、まさか……」

戦慄《せんりつ》するあまり、よろめいて背後の壁にどすんと背をぶつけた。

「どうなさったのです」

えんが不安そうに手を伸ばす。春海は蒼白《そうはく》の顔を左右に振った。咄嗟《とっさ》にえんが手を引っ込めたが、春海自身にその手を拒絶したつもりはない。目の前が真っ暗になるほどの衝撃から逃れたい一心だった。それはまさしく解答だった。この八ヶ月もの間、延々と自分を苦しめていた疑問を明らかにするものである。代わりに、改暦事業に注いだ全ての思いを木《こ》っ端微塵《ぱみじん》に打ち砕き、さらなる苦悶《くもん》をもたらす、恐るべき考えだった。

「な……、な、なんということだ……」

春海は、今度は前のめりになって壁から離れ、

「あ、何を……」

えんが驚くのも構わず、震える手で、関孝和が設問を記した紙を剝《は》がした。そうしながら、自分は期待を裏切ったのだ、という思いに胸を突き刺された。建部の、伊藤の、保科の、改暦事業という、天を相手に行う勝負を自分に与えてくれた全ての人々の――

そしてあるいは、関孝和という希代《きたい》の天才の期待を。

(頼みましたよ)

ふいに伊藤重孝の声が甦《よみがえ》った。

(頼まれました)

自分はそう答えたではないか。そう思うと、どっと涙が溢《あふ》れ、半年余も衆目に晒《さら》され続けた関孝和の設問の上にぽたぽた落ちた。金王八幡の算額絵馬に心を奪われたあの日から十四年余。己だけの春の海辺を夢見て生きてきた。そして今、ようやく、そこへ到達するための本当の試練に直面しているのだと思った。

「お願いがあるんだ」

春海が言った。えんは、春海が涙を拭《ぬぐ》う様子を見て見ぬ振りをしてくれている。

「今度はどんなお願いですか」

優しい訊き方だった。

「住まいを……」

言おうとした途端、ぶるっと身が震えた。大きく息を吸って震えをこらえ、己に出来る限りの清明な〝息吹〟をもって、

「この方の住まいを、教えてくれないか」

長い年月の末、ようやくその思いを口にした。えんに驚いた様子はない。そればか

りか、

「はい」

と微笑んでくれた。

翌日、春海は、教えられた武家宅に宛てて手紙を出している。

関孝和に、会いに行くためであった。

二

すぐに返事が来た。

この日のこの時刻に、という素っ気ないもので、なんとなく果たし状みたいだった。

春海はその通りに従って、牛込《うしごめ》にあるこぢんまりとした邸宅を訪れている。

こぢんまりとしてはいるが老いた家人がおり、その人が部屋へ通してくれた。商家の子息を相手に、そろばんや算術を教える部屋だという。きちんと片づいた部屋の隅に、真っ黒になるまで重ね書きをした紙の束や、硯《すずり》や筆がまとめて置いてあった。

いかにも出涸《でが》らしの茶湯を差し出され、待った。

自分では十分に落ち着いているつもりでも、やはり心臓が破れる思いだった。かの保科正之に招かれたときと同じか、それ以上の緊張に襲われていた。長年、会いたいと思い続け、そのつど様々な心の抵抗や、意地や、怖れによって叶《かな》わなかった相手である。まさかこのような形で会うことになるとは夢にも思わず、喜びというよりも、悲壮とも言える覚悟をもってのことだった。いかなる罵詈《ばり》雑言も甘んじて受ける。そういう覚悟である。ただひたすら平伏し、教えを請うのだ。もはやそれ以外のことはかけらも考えられなくなっていた。

やがて、来た。

襖《ふすま》が開き、男が現れた。想像していたよりも背が低い。春海と同じくらいの背丈だ。髷《まげ》にも瞳《ひとみ》にも黒々と艶《つや》がある。引き締まった痩顔《そうがん》は、静かな生気に満ちている一方、珍しいくらい皺《しわ》が多い。特に今、眉間《みけん》に寄せられた皺が、凄《すさ》まじいまでの怒りの相をあらわにしている。

関孝和は無言で、春海の前に坐《ざ》した。

刃物を真っ直ぐ畳に突き立てたような、無造作でいて、ぎょっとなるほど鋭い坐相だった。

まるで勝負の姿勢である。しかも、これまで数多くの碁打ちと相対してきたが、こんな鋭さは見たことがない。匹敵するとしたら、十五年後の道策くらいか。そんな思いが湧きつつ、

「こ……このたびは、突然の訪問を、快くご容赦いただきまして、まことに……」

春海は、しどろもどろになって面会の礼を告げた。相手を一見してのちは、ろくに顔を上げられず、碁の勝負においてはその時点で負けを宣告されるような前屈《まえかが》みの恰好《かっこう》で、懐からおずおず紙を取り出した。

『渋川春海殿』

と、関が自分に宛てた算術勝負の設問である。

いきなり、関が紙をつかんだ。かと思うと、細切れに引き裂いてしまった。春海の低く垂れた頭の上に紙片が浴びせられた。あまりの所行だが、春海はじっとされるがままになっている。詫《わ》びを口にしようとするが、

「この盗人《ぬすっと》がッ！」

爆発したような怒声にかき消された。

「ぬけぬけと数理を盗みおって！　何様のつもりかッ！」

春海は額を床にすりつけるようにし、

「わ……私は……」

「返せやッ！　盗んだものを即刻、返せッ！」

部屋にあった紙の束が投げつけられた。硯が飛んできて畳の上で跳ね、春海の肩に当たった。筆や筆箱が飛んできて、頭や体に当たった。春海は無言。もうひたすら土下座の姿勢である。

「挙げ句の果てに失敗《しくじ》りおって！　数理をなんだと思うか！　囲碁侍のお遊びの道具とでも言いたいかッ！　お役人に献上するために、我らの研鑽《けんさん》があったと申すかッ！」

これが、江戸のみならず、全国の主たる算術家たちが春海に対して抱く思いであった。名をなした算術家であればあるほど、〃あの数理は己が解明した〃という思いが強いのは当然である。それらを春海は一切の断りなしに授時暦解明に用い、かつ改暦の儀に用いたのである。

しかし一方で、このとき春海の中に、むらむらと怒りが湧いてきていた。それは春海のみならず、改暦事業に参加した安藤や島田なども等しく抱くであろう怒りだった。町道場で気楽に算術を教えている者たちが、何を都合の良いことを言っているのか。保科正之が志した、武断から文治への転換の努力を理解できるのか。政治の機微をつかめるのか。こうして屈辱に耐えながら頭を下げ、数理も算術も、暦がどういうものかすらまったく理解していない幕府や朝廷の人間たちを相手に、心を砕いて納得してもらう辛《つら》さがわかるのか。周囲の無理解に耐え、気苦労に耐え、重責に耐え、事業に邁進《まいしん》することがお前たちに出来るのか。

だがこの場において春海は一切反論せず、ただ頭を下げ続けている。相手が関孝和だから、それが出来た。そして、関孝和だから、全てをわかって春海に罵詈雑言を浴びせているのだ。それがわかっていた。だからこその、覚悟だった。

「これはわしだけの問題ではない！　世の算術家総勢の遺憾の念と知れッ！」

その咆哮《ほうこう》じみた声ののち間があった。春海は頭を下げたまま、首でも差し出すような姿で、

「……世の憾《うら》み、これで全て浴びたとは思いませぬ。私は……」

「当然じゃ。これほどの大事、算術家にとどまる話か。津々浦々の儒者、陰陽師《おんみょうじ》、経師、仏僧、あらゆる者どもが、お主を嘲笑《あざわら》い、憎み、罵《ののし》っておる。今やお主は、日本一の盗作者じゃ」

春海は奥歯を噛《か》みしめて黙った。またぞろ怒りが湧いたが、関孝和の言葉をしっかりと待ち構えた。本当の覚悟はここからだった。

「所詮《しょせん》は囲碁侍のお遊びよ、とみなが口々に罵りおった。改暦の儀が、あのような始末になったとき、馬鹿げたことに、わしの知る算術家どもの大勢が、喝采《かっさい》しおった。わしは腹が立った。つまらぬ功名心で、お主に嫉妬《しっと》する馬鹿な算術家どもに腹が立った。だが、それ以上に、お主に対しては我慢がならなかった。はらわたが煮えくり返る思いであった」

「私は……」

「なにゆえ、わからなかった」

春海は、ぐっとまた奥歯を噛んだ。怒りではなく、途方もない申し訳なさが来た。平べったくなったまま身が震えた。

「お……思い、及ばず……力、及ばず……」

「馬鹿者！」

この天才から馬鹿呼ばわりされた。それが春海を予想以上に大いに打ちのめした。真っ暗闇の淵《ふち》へ落っことされる思いがした。正直言って逃げ出したくなるほど、しんどかった。

「も……申し訳も……」

「数理のことごとくを、あれほどつぶさに理解し得たお主が、なぜにわからぬ！」

「う……」

思わず呻《うめ》き声が零《こぼ》れた。ついでに情けなさで涙まで零れそうになって必死に耐えた。将軍様の御前で平伏していたときにも増して、魂魄《こんぱく》を打ち砕かれる思いに、ぶるぶると激しく震えた。

「よ、よ……よもや……」

「よもや、授時暦そのものが、誤って、いるとは、思いもよらなかったと、そう言うかッ！」

竜が吼《ほ》えた。そう思った。脳天に雷火が落ちたような衝撃だった。春海は、竜の息吹一つで自分が木っ端《こ ぱ》のごとく宙を舞って灰燼《かいじん》と化すところを如実に想像した。それこそ関孝和による〝誤問の出題〟の真意であった。春海が授時暦の理解を誤ったのではない。授時暦自体が病題なのである。それゆえ蝕《しょく》の予報を外した——いったいこの天才は、どうしてそのような途方もない結論に辿《たど》り着けたのか。自分を始めとする改暦事業の関係者のみならず、日本で数理を知る者全て、想像だにせぬ〝解答〟だった。

「ま……まさに……申し訳もなく……」

ほとんど涙声になっている春海をよそに、関は、ふーっと深く息をついている。かと思うと、なんだか妙にすっきりした調子で、

「怒鳴りすぎた。喉《のど》が痛い」

困ったな、というように呟《つぶや》いている。

「お主には、算術家どもの思いを、大いに汲《く》んでもらわねばならんのでな……」

だから頑張って怒鳴ってみたが、意外に大変だ、とでも言いたげだった。

下げた春海の頭の向こうで、関が、茶湯でうがいをする音が聞こえた。どうも、春海に差し出された茶湯を取り上げて自分で口にしたらしい。

茶碗《ちゃわん》が置かれる音がした。春海が恐る恐る顔を上げると、やっぱり自分用の茶碗が空になっている。それとほとんど同時に関が立ち上がっており、お陰で顔は見えなか

った。しかも、そのまますたすた部屋を出て行き、顔ばかりか姿も見えなくなった。あまりの無造作な振る舞いに春海は完全に置いてけぼりである。半端に顔を上げて両手をついたまま相手の帰りを待っていると、関が、とんでもない量の紙の束を持って戻ってきた。

「こんなもの、書にして出版しようもない」

春海に向かって真面目に言った。そしてその束を、どさっと春海の眼前に置いた。ところどころに記された日付から、日記のようだった。だが違う。春海は目で許しを請うように相手を見ながら、おずおず紙の束をめくった。難解な数理の数々が飛び込んできた。ただの算術ではない。授時暦についての、ありとあらゆる考察であると即座に理解できた。

関孝和が、授時暦を研究していた。そのことが驚愕《きょうがく》とも感動ともつかぬ思いをもたらし、思わず相手を真っ正面から見つめていた。

関はいつの間にか穏やかに微笑んでいる。それでも鋭い坐相《ざそう》はそのままだった。この人は、意図して鋭さを発揮しようとする人ではないのだと春海は悟った。天性であり、この人自身もどうしようもないのだ。まるで鞘《さや》すら斬ってしまう刃《やいば》だった。鋭さのあまり、収まる場を持たず、流浪する思いで生きてきたのだ。あたかも春の海辺を求めて曖昧《あいまい》さの中をさまよっていた自分のように。理由は互いにまったく違えど、同じだった。

かつて関が自分の誤問を前にして笑っていたという理由が、やっとわかった。自己の発揮を求めてさまよう者の存在を、この天才が認めてくれたのだ。そして喜んでくれたのだ。

自ら発揮のときを欲して邁進する者を、誤謬《ごびゅう》も含めて称《たた》えてくれていた。

「甲府宰相様の御下命がいっとき下されたが、無為であった。天測の規模で、とてもお主に敵《かな》わぬ。また、何しろ甲府だ。江戸の幕府には建議も届かぬ」

関が言った。春海は一挙に事態を理解した。関もまた、もしかすると改暦事業に参加していたかもしれないのだ。あるいは保科正之から協力を要請する声が、甲府に対してもあったのだ。

しかし、甲府宰相こと徳川綱重《つなしげ》は、幕政においては孤立の傾向にある。理由はもっぱら城の大奥における因縁によった。関孝和が甲府宰相を主君とする限り、幕府の事業に参加できる道は皆無といっていい。それゆえ保科正之も関の名は出さなかった。あるいは出せなかった。

だが、成果だけはあった。それがこの考察の山だった。

「一度始めてみたら、面白くてな。御下命が結局はおおやけに下されぬと決まってのちも、つい続けてしまった」

そう言って、関は、紙の束をさらに春海の膝元《ひざもと》まで押しやった。

「数理は、結集せねば、天理を明らかにするものとならぬ。全て、お主に託したい」

春海は言われるがままに束を持ち上げようとしたが、とても重くて持てない。関の存在も思いも重すぎた。こんなしろものを背に乗せられたら、そのままぺしゃんと潰《つぶ》れてしまうに違いなかった。だが関はまったくそうは思っていないらしい。清々した顔で、さっさと受け取れと急《せ》かすように手を振っている。

「あまり期待してくれるなよ。天理は、数理と天測のどちらが欠けても成り立たぬ。わしに解けたのは、数理と天測の狭間《はざま》のどこぞに誤りがあるはずだということだけだ。いったいどこにあるかは……わしには、手が届かぬ」

「し、しかし……」

「持って行け。わしが持っていても何にもならん。頼めるのは、お主だけだ」

最後の言葉が、耳ではなく直接、心の臓に響いた。どっくんと大きく動悸《どうき》がした。

からん、ころん。

あの幻の音がこれまでになく鮮やかに響いた。感動の音、悲しみの音、歓喜の音だった。

気づけば頬を涙が濡《ぬ》らしていた。どれほど関が無造作な態度をしていようと、これは算術家の命である。とても受け取れるとは思えない。だが日本中の算術家の命を奪い、憎悪を受けて立つ覚悟がなければ、改暦事業を完遂することは不可能だった。自分は幕府の公務で生きる人間である。数理を理解し、幕政に役立てるということは、その算術的成果を幕府のものとして奪い去るということなのだ。それがなくば事業にはならない。それをしてこそ事業だった。

かつて保科正之が、飢饉《ききん》の苦しみから一揆《いっき》を起こし、陳情に訪れた三十五名もの命をことごとく奪わねばならなかったことが思い出された。その屍《しかばね》を心に焼き付けたからこそ正之は〝民生〟の理想を掲げ続けた。今、まったく同じことをするのだ。算術家たちの命を奪う。目の前にいる関孝和という男の命を握り、我がものとしなければならないのだ。

関自身がそれを望んでいた。発揮できなかった自己を、まとめて春海に託していた。

春海は、ついにその紙の束をつかみ、胸に掻《か》き抱いた。

「か……必ずや……、必ずや、天理をこの手で解いてご覧に入れます。天地の定石を我が手につかみ、悲願を成し遂げてみせます」

関は満足そうにうなずき、そして笑った。その様子に春海は胸を衝《つ》かれた。この天才が浮かべるには、あまりに寂しく、孤独な表情だった。ともに歩めたかもしれない道のりを、全てを背負って春海だけがゆくのを見送る者の顔だった。

「お主にしか出来んのだ、渋川。わしのような算術家がどれほど手を伸ばそうと、天理をつかむには至らぬ。ましてや暦法の誤謬を明らかにするには……元国の才人たちが築き上げた、至宝のごとき授時暦を斬って棄てるには、まさに、思いも、力も……及ばぬのだ」

そうして真っ直ぐ春海を見た。今、その鋭く無造作な坐相に、万感の思いがこもっていた。

「授時暦を斬れ、渋川春海」

紙の束を抱いたまま、一方の手で膝をつかみ、

「必至！」

事業拝命より八年余を経て、再び、勝負の言葉が激しく春海の口をついて出た。

ほろ苦い笑みが、関孝和のおもてに浮かび、

「頼んだぞ、囲碁侍」

静かに瞑目《めいもく》した。

三

牛込で駕籠《かご》をつかまえ、そのまま荒木邸へ向かった。

塾の方は、村瀬が塾生たちに術理を教えている真っ最中である。春海は本邸の方へ

行き、玄関先で声を上げようとした途端、外へ出て来たえんと出くわした。その手に箒《ほうき》を持っていた。枯れ葉ではなく雪よけのためだろう。えんがびっくりした様子で、ぱっとその箒を胸元で構えるのを見て、春海はまたもや、ぐるりと時が巡ったような思いがした。

「いったい、何をしてきたのです」

えんがまじまじと春海を見て言う。

大急ぎで来たせいで着衣は崩れ、頭にまだ破れた紙片がひっついているし、額には筆箱を投げつけられたときの痣《あざ》が出来ている。しかも胸には大事そうに布でくるんだ紙の束を抱いており、取っ組み合いでもした挙げ句に何かを奪ってきたような有り様である。

だが春海はまったく別のことを口にした。

「頼みがある。一生の頼みだ」

「またですか。今度は何を頼もうと……」

えんが咎《とが》めるのを遮るように、春海は、冷たい敷石の上にきちんと膝をついて言った。

「嫁に来てくれ」

えんの反応こそ見物だった。ぽかんとなるわけでも、驚いて絶句するわけでもなく、

「正気ですか？」

疑わしそうな調子で訊《き》いてきた。春海はこくこくうなずき、

「本気だ。大いに本気なんだ」

ややずれたことを大真面目に主張している。

「そういう話は……まずきちんと家を通すべきなのでは……」

「うん、父君にお会いさせていただかねば」

反射的に膝を上げかけたが、

「その恰好《かっこう》でですかッ」

いきなり叱られた。

「だいたい、あなたが会ってどうするのです。あなたのお義兄様《にい》がいらっしゃるでしょう。そもそも私はもう荒木家の者ではありませんと申し上げております」

当たり前のことだが、この場合、春海の義兄である算知から、石井家の者に話を通してからでなければ、何にもならない。

「も……もちろん、そうするとも。私は、ただ、気持ちを……」

「婚礼の儀に、気持ちも何もないでしょう」

これが武家の常識である。春海は、うん、まあ、と口ごもっている。えんはちょっと溜《た》め息をついて話題を変えた。

「関さんにはお会いできたのですか」

「命を預かった」

神妙に胸の包みに手を当て、

「私はもう一度、改暦の儀に挑む」

きっぱりと告げた。

「つい先日は、病人のようなお顔をしておりましたよ」

えんが意地悪そうに言った。春海は、こっくりとうなずき、それから胸の包みを叩《たた》いて、

「今は、士気凜然《りんぜん》、勇気百倍だ」

勝負に敗れた者とは思えない、すごいことを口にした。えんはむしろますます叱るように、

「それで、昔のように、私に、証人になれと言うのですか？」

「それは……」

言いかけて、またもや大きくうなずいた。

「星を見るために旅したとき、日と月とあなたの面影に護《まも》られて関殿への設問を考案した」

胸を張ってそう口にした。だが、えんに感銘を受けた様子はなく、逆に呆《あき》れ顔にな

って、

「何を言っているのです、あなたは」

にべもなく吐き捨てられた。まるきり武家の男が、言い寄る町人の娘を追い払うような言いぐさである。かと思うと、またちょっと溜め息をついた。それから、さも仕方なさそうに膝《ひざ》を折り、春海の顔を覗《のぞ》き込んで訊いた。

「今度の勝負は何年かかるのです？」

「十年」

たちまち、えんが冷たい顔になるのへ、慌てて言い直した。

「い……いや、それよりは早く成就させてみせる。か、必ずだ」

「一年の次は三年、その次は十年ですか。だいたいあなたが期限を守ったことがあるのですか」

「う……うん、まあ……」

「家が許すのでしたら、今度こそあなたが期限を守るよう、そばで見張って差し上げます」

「え……？」

今度は、春海の方が、まじまじと見つめ返した。えんは何も言わず、肩をすくめて立ち上がった。で、どうするんだ、と問うような眼差《まなざ》しが降って来た。

「あ……ありがとう」

さっと立ち上がり、

「秋には必ず迎えに来る」

固く誓うように言った。

「秋？」

まだ一月である。えんの呆れ顔をよそに、

「うん、必ずだ。では、御免」

行儀良く頭を下げると、大急ぎで身を翻し、そのまま駆け足で荒木邸を後にした。

頭の中は、これからやらねばならないことで一杯だった。算知に話を通す、関の考察に目を通す、事業再開を仲間たちに告げる。

春海が脇目も振らずに立ち去る一方で、塾の方から村瀬が面白そうに笑みを浮かべながら、えんのそばまでやって来て言った。

「みんな聞いてたぞ。家の方にも聞こえたろう」

えんは泰然としたもので、

「ならきっと話が早いでしょう」

と言った。

「喪が明けたな」

村瀬が笑った。

四

それから一年余の、延宝五年、春。

春海、三十九歳。京の生家で挙げられた二度目の祝宴において、

「何が、秋ですか」

嫁入り飾りの下から、えんの燃えるような怒りの目が向けられ、

「も……も、申し訳ない……」

春海は縮こまって、冷や汗をかいている。

つつがなく祝言が済み、床入りを前にした、花婿と花嫁のみの饗《あえ》の宴《うたげ》である。

昨年、心機一転してから飛ぶように時間が過ぎていた。

関孝和から授時暦考察の束を受け取ってのち、春海はすぐに、改暦事業の再開を仲間たちに伝える手紙をしたためるとともに、婚礼の願いを義兄算知に告げていた。

かねてから春海に後妻を娶《めと》るよう勧めていた義兄は、大いに喜び、

「よくぞ言った。さすが安井家の長子。さっそく二本松の礒村殿に初見願おう」

「ち、違います、兄上。礒村様は塾の村瀬殿の師です。えんさんは、もとは荒木家の

娘ですが、今は石井家の……」

「心配いたすな。必ずや良縁成就させ、お家の安泰、安井家の捲土重来《けんどちょうらい》となそう」

完全に勝負の姿勢で告げたものだ。本因坊家との熾烈《しれつ》な勝負に敗れてのちも、ますます意気盛んな算知は、嬉々《きき》として縁談を進め、あっという間に話を通してしまった。

荒木家も石井家も、将軍様御前で碁を打つ、というひと言で縁談を承知したらしい。

春海が改暦勝負をぶち上げ、大いに挫折《ざせつ》したことも問題ではなかった。武家は禄《ろく》にあぶれるばかりのご時世である。江戸城内で公務があるというのは、それだけ人も羨《うらや》む立場なのだ。それならすぐにも婚礼を挙げられそうなものだが、何しろいったん京の生家に戻り、事業再開と嫁取りの準備を同時に整えねばならない。

「よう決意した！」

闇斎は春海の肩をぶっ叩いて、事業再開も婚礼も喜んでくれた。そればかりか、

『士気凜然、勇気百倍』

春海がえんに向かって放った言葉を、そのまんま事業関係者に伝え、事業の中心者たる春海の再起を伝えた。そのせいで遥《はる》かのちの世にまで、その八字が伝わることになるとは、まさか闇斎も春海も思っていなかったろう。そんなわけで、さっそく闇斎の人脈で公家《くげ》や僧や神道家たちに協力が呼びかけられたが、幕府の支援も無い今、大半が改暦に懐疑的だった。かと言って春海と闇斎だけでは、高価で巨大な天測器具を

扱うにも支障をきたす。主な道具を、春海の生家の庭に設置するだけでも大変な苦労だった。人も金も潤沢だった北極出地の旅が思い出され、いかに建部と伊藤が苦心して事業に漕《こ》ぎ着けたかを改めて思い知らされた。

「授時暦自体に誤謬《ごびゅう》があるのです」

という春海の態度が、さらに協力者の数を激減させた。数理と暦術に精通している人間であればあるほど、授時暦の精密さを知っている。それが誤謬であるなど、春海が正気を失ったのかと疑う者すらいる始末だった。

「ほんまに精密なら、蝕《しょく》を外すかいな」

闇斎はあっさり授時暦に誤謬ありという考えを受け入れたが、安藤や島田などは、

『一概に断じかねますが』

などと動揺を隠しきれない手紙を送ってきていた。確かに研究を重ねれば重ねるほど、授時暦は一つの美として称《たた》えたくなるようなしろものである。それを斬って葬る算段は、春海にも、まるでなかった。全ては春海の、また関孝和の考察によって導かれた仮定なのである。しかも大逆転の発想であり、雲をつかむような話だった。

『こちらでも検証を重ねますが、もし何か方策がおありなら御教示願いたい』

安藤や島田の心許《こころもと》ない返答も、彼らにとってそれが精一杯であることは春海もわかっている。実証する方法そのものを、完全に新しい角度から発明しないことには一歩

も進めなかった。

春海は、まず関孝和の考察の数々を頼りとしながら、新たな方法論を誕生させる方策に没頭した。天体観測の道具も設計し直してはどうか。日月星辰《せいしん》を測るための基準値を再設定してはどうか。授時暦を構成する数理を一つ一つばらばらにし、かつ世の様々な数理を挙げ、ある数理と別の数理が組み合わさることで、考えもしなかった矛盾が生じるか、試してはどうか。

どれもこれも気の遠くなるような労苦、金銭、人手、時間が必要だった。とても協力者を募れるものではない。その上、様々な検証や、ちょっとした天測の情報などが、片っ端から自分のもとに集まれば、それらを一瞥《いちべつ》するだけでも膨大な時間が必要となる。

闇斎とたびたび相談しながら、春海はやがてそれらを解決する算段を明白にした。

それは天啓のごとく閃《ひらめ》いたが、実のところ過去からの課題そのものだった。

何の目的もなくおびただしい情報ばかり集めても、無駄ばかり増えてゆく。それよりもまず全ての土台となるような別の事業を設定し、その成就を通して、少しずつ授時暦の誤謬解明へとつなげる。そのために、何を土台とすべきか。大地である。遥か彼方《かなた》の天を眺めようとする前に、己の足元である大地を、再設定すべきだった。

(日本の分野作りだ)

それこそ、かつて北極出地で伊藤から託された一事であったではないか。中国から伝えられた星の相と、地の相、そのつながりを、全て日本に存在する独自のものに置き換える。あのとき既に、自分にはなすべきことが与えられていたのだ。そればかりか、

（頼まれました）

かつてそう答えたではないか。その責任を、今こそ果たすべきだった。

そうして算段がようやく定まり、どうにか協力者たちをいたずらに困惑させずに済むようになったときには、いつの間にか秋になり、本来の碁打ちの職に戻らねばならなくなっていた。

しかも普段のお勤めであればまだしも、

「本因坊道悦様、碁所《ごどころ》引退」

こんな一大事が持ち上がったのである。算知との勝負に勝って僅《わず》か一年、本因坊道悦はその跡目を、一番弟子である道策に譲ることを決め、城の寺社奉行と碁打ち衆に報告した。

「すわ、争碁か」

碁打ち衆のみならず城の者たちの多くがそう思った。若い道策が、安井家の算知もしくは春海と熾烈な勝負を行うことになる。それならそれで春海も覚悟を決めれば良

いだけだったが、ここで道策の圧倒的な才能の輝きが議論の種になった。

今や、安井家のみならず本因坊をふくむ囲碁四家の誰一人として、道策に勝てないのである。ただ勝てないのではなく、ついていけなかった。道策は碁における革命児であり、その実力は一手ごとに碁の定石そのものを変貌《へんぼう》させようとしていたのである。

ゆえに、

「名人位、遜色《そんしょく》なし」

道策の碁所就任を認める方へ傾いたのだった。ならばそれはそれで話が簡単であるはずだが、何しろ御城の公務である。二度も争碁を行いながら、今度は争碁なしとなれば、碁打ち衆全体の決定に誤りがないことを寺社奉行に証《あか》し、かつ大老や将軍様のご意向を伺わねばならなかった。手間に手間が重なり、安井家も、算知や春海のみならず義弟の知哲もふくめ、いちいち碁打ち衆の合議に顔を出し、道策の碁所就任に賛同する文書をせっせと調えることになった。

「面倒です。勝負をしとうございます。ぜひ、勝負をいたしましょう、算哲様」

当の道策は、むしろ悔しげに春海に言い募ったものだ。

「私は、お前が碁所に就くことにまったく異存はないのだが……」

「異存の問題ですか。栄えある勝負なのです。せっかくの争碁なのです。わたくしだけ除《の》け者だなんて、ひどいではありませんか」

泣きそうな顔で言う。楽しみにしていた祝い事がなくなってしまったかのようだった。

だが結局、将軍様も道策の妙手には大いに感嘆しており、争碁なしでの四家同意のもと、異例の碁所就任が決まってしまった。

本因坊道策、三十二歳。若くして碁打ちの頂点に立った瞬間であった。だが、

「恨みます」

就任の儀の際、道策に真顔で言われ、春海はひやひやした。

そんなとき、さらに面倒があった。とは言え春海自身の意志であり都合である。長らく義兄を立てるため〝安井〟や〝保井〟を使い分けていた春海だが、今回の婚礼を機に、正式に〝保井〟への改姓を決めた。これには、春海とえん、それぞれの亡妻と亡夫への礼儀の意味合いもある。不義密通が死に値する罪とされる世である。春海は亡妻ことだけでなく、えんの亡夫の墓前も訪れ、この婚礼が不義ではないという許しを死者に得る供養をしている。役所にもそのように届け出た。幕府と京都所司代の両方にである。これが手間で、ふた月ほどもかかった。

そうこうして延宝五年の春になってやっと婚礼となり、その分、

「秋だと、自分から約束したでしょう」

実に容赦なく、えんに睨《にら》まれた。

「こ、ここまで遅れるとは、思いもよらず、面目もない……」

ひたすら平身低頭の春海である。えんは怒った顔のまま着物の帯から紙を取り出し、すっかり色あせて皺《しわ》だらけになったそれを、春海の前で広げてみせた。大円と小円と一つだけの方形。それらの蝕交から分を求める──かつて、えんが預かると言って取り上げた、春海の誤問だった。

「持っていてくれたのか……」

思わず涙がにじんだ。手を伸ばそうとすると、ひょいとひっこめられてしまった。

「お返ししようと思っておりましたが、やめました。期限を守らなかった罰です。あなたの事業が成されるまで、今一度、お預かりいたします」

「う、うん。今度こそ、必ず、十年のうちに事業を……」

「あと九年です」

ぴしりと宣告された。

「う……うん」

「あなたの亡き奥方様に代わり、今日から私があなたを見張っておりますから」

「うん……。それで、あのう……もう一つ、頼んで良《い》いかな」

「いったいなんですか」

「私より先に、死なないでくれ」

えんはしばらく春海を真っ直ぐ見つめ、それから、おもむろに吐息した。

「無茶ばかり頼まないで下さい」

「すまない……でも頼む。頼みます」

「わかりましたから、あなたもしっかり長生きして下さい。いいですね」

「うん。けど、えんさんも……」

はいはい、と素っ気なくあしらわれた。そして、またじっと春海を見た。春海もえんを見た。

塾で十二年ぶりに再会したときのような不思議な沈黙が降りた。いい歳の男女が、本当に今このとき、青年と娘に戻って見つめ合っている気分だった。春海はほとんど初めて、この女性がこれから自分の妻になることを意識した。そんなことを正直に言えば、えんに滅茶苦茶《めちゃ》に叱られそうだが、無我夢中の勢いだった。それが今やっと冷静になり、実感が湧いた。初めて出会ってからおよそ十五年。実現を願うどころか想像すらしなかった想いの成就だった。

やおら、えんの方が、襟元を撫《な》でつつ、言った。

「あの……私も、お頼みしたいのですが」

「な、なんだい。なんでも言ってくれ」

すると、えんは、ちょっと目を逸《そ》らして、その頼みごとを口にした。

「早く、この帯を解いていただけますか」

春海は真顔のまま、こっくんと大きくうなずいた。

五

保井算哲として最初に公文書に名を記したのは、二刀の返納の文書だった。婚礼を機に寺社奉行から命じられたのである。厄介ものであり、事業拝命の証しでもあった二刀である。失うことは辛《つら》かった。だが今こそ本当に何の後ろ盾もなく、個人として改暦事業への邁進《まいしん》を決意する上で、二刀の喪失は、避けては通れないことのように納得する自分もいた。

（まずは地の定石をつかむ。そして天の理を我がものにする）

春海はそのため、北極出地の旅に出てより十六年、培い続けた全ての知識と技術を総合していった。北極出地による各地の緯度。渾天儀《こんてんぎ》製作のための詳細な星図。授時暦の研究における天測と数理。そして保科正之や闇斎や吉川惟足によって研究された神道の奥秘。

それらを一つ一つ丹念に照合し、矛盾なく結び合わせてゆく。その上で〝分野〟という中国の国家的占星術の技術を適合させる。日本全土から見える、占術面で中心となる星と土地を結び合わせるだけでも大変な作業だった。だがそれを行うことで、土地の緯度と星の運行とが、精緻《せいち》な織物の経糸《たていと》と緯糸《よこいと》のように照応してゆき、さながら天と地とが互いに近づくようだった。

気が遠くなる作業だが、心気は充実する一方である。暦という天地そのものを相手にした難問に、一歩また一歩と解答の道筋がつけられてゆく実感があった。地の定石、天の理とは、こんなにも人の心に希望と情熱を抱かせるのかと、春海自身が驚くほどだった。

公務の合間を縫っての研鑽《けんさん》だが、まったく苦に思われない。かつて愛妻を亡くしたときのような、空虚さを無理やり事業への傾倒で埋め合わせる心境とはほど遠かった。

というより、えんの〝内助〟には、いささか春海の想像を超えるところがあった。

京でのことである。あるとき闇斎との相談を終えて家に帰ると、庭にあった桃の木が忽然《こつぜん》と消えていた。

あまりのことに驚き、えんに訊《き》くと、

「伐《き》りました」

当然のように言われた。家人に頼むのみならず自ら一度二度と斧《おの》を振るったそうな。

桃の実がなれば盗む者が後を絶たず、枝が伸びれば隣家から苦情があり、花が咲けば枝ごと折ってゆく者がいる。近所でも有名な木で、その分、面倒ごとが多かったの

だが、

「あなたの技芸向上に水を差すような些事《さじ》の源など、この家に一切不要です、旦那《だんな》様」

怖いほど、にこやかな断言だった。そしてこの〝処断〟を、近隣の者たちが誉めた。

「さすが武家の娘は違う」

あっという間に一目置かれるようになり、なんと近所中の奥方やら娘やらが、何かと、えんに相談事やら悩み事やら話しに来るようになった。えんは、さばさばとした態度で、彼女らを励ましたり、あしらったりし、かと思うと、

「あと八年ですよ、旦那様」

にっこり笑って春海に茶を差し入れたりする。怖くてとても怠けていられない。

一方、その心気の充実は、事業以外においても如実に表れた。

延宝五年、十一月。御城碁において、春海が、道策を五目の差にまで追った。他の打ち手ならまだしも、碁所に就いた道策相手の健闘を、将軍様を始め幕閣の面々が揃って誉め、

「保井に妙手あり」

碁の革命児たる道策の打ち筋に、ついてゆくだけでも立派なものとされた。

翌年の同じ月、同じく御城碁における勝負は、さらに白熱した。なんと道策に対し、

春海が、三目の差に迫ったのである。

「保井が勝つか」

勝負の途中、幾度か、そのような囁《ささや》きが起こった。勝敗が決した直後などは、

「双方、見事なり」

あろうことか将軍家綱が、春海と道策の両者に向かって声を発し、幕閣の面々を驚かせるということまであった。将軍様が碁打ち衆に対して言葉をかけることなど異例中の異例である。

「この棋譜をご覧なさい、算哲様」

勝負の後、道策が勢い込んで言った。

「この見事な打ち筋。これでもあなたは星を選ぶのですか。暦などにせっかくの才を費やすと言うのですか。どうして碁に専心してくれないのですか」

「星が、私に命を与えてくれるんだ」

春海は、やんわりと、しかし、はっきりと確信を込めて告げている。

道策は唇を噛《か》んで立ち尽くした。ひどく寂しそうだった。その細い両肩に、天才ゆえの孤独と淋《さび》しさがにじんでいる。ときおりそれと全く同じ姿を見せる男を、春海は知っていた。関孝和である。授時暦の考察を託されて以来、しばしば春海は関を訪れ、親交を持った。春海が背負う課題に対し、関は惜しみなく助言してくれた。素晴らし

い閃《ひらめ》きに満ちた考察を受け取る一方で、春海は、関の孤独を感じた。自分が名を挙げる機会が皆無の事業に、これほど積極的に協力してくれるのは、それだけ日頃、関に理解者がいない証拠でもあった。

(関さん、笑っていました。あなたのこの設問を見て、嬉《うれ》しそうでした)

あの誤問を見て、関がどれほど春海に期待したか。対等に渡り合うだけでなく、むしろ自分以上の閃きを見せつけてくれるのではないか。あてどもない研鑽の道をともに歩めるのではないか。実際に関が春海に語ったわけではないが、そう強く願っているのは痛いほどわかる。

その期待に応《こた》えたいと素直に思う。だが春海は、それとは別のことを、関にも、このときの道策に対しても、口にしている。

「弟子を持て、道策。大勢の弟子を。お前が星となれば、多くの才ある者が迷わずに、お前のいる場所へ辿《たど》り着く。中には、お前を追い越してゆく者だっているだろう」

それが、もう一つの春海の素直な思いだった。自分がひたすら関の背を追い続けたことからの実感である。そしてそれこそ関や道策に、春海が何より期待することであり、彼らの天命であることを彼ら自身にも増して感じていた。関が、〝算学〟という、無知の者にも算術を学ぶ機会をもたらす思想を抱いたのも、彼の天命ゆえだと春海は信じている。

だが道策は、かえってひどく寂しげだった。突き放されたと思ったのかもしれない。

春海は優しく言った。

「私だって諦《あきら》めたわけではないよ」

「……何をでしょう？」

「初手天元《てんげん》」

にわかに道策が目を輝かせた。

「いつか、お前から奪い返してみせるよ、道策」

道策はやっと微笑み、

「負けませぬ」

嬉しげに言った。

その後、道策は多くの弟子を持った。うち一人は五代目本因坊となり、さらに名人に、すなわち碁所に就いた。それ以外にも、井上家四世を継ぐ者など才能溢《あふ》れる者たちが集まり、道策の指導のもと、碁の定石や布石は大いに進歩してゆくこととなる。

そしてもう一人の竜も、春海の願い通り、同じく多くの弟子を育てた。そのうち二人を、春海は牛込の関の自宅で紹介されている。

「建部賢明《かたあき》と申します」

十五歳の少年が凛《りん》と告げた。

「建部賢弘《かたひろ》と申します」

十三歳の少年が負けじと声を上げた。

春海は彼らの前に坐《ざ》したまま喜びのあまり咄嗟《とっさ》に口がきけず、目が潤むのを覚えた。

二人とも、あの建部昌明の甥《おい》である。二人の少年たちに、建部の面影を見るような気がして、もう少しで泣き出してしまいそうになった。

「この者たちには、わしの術理をことごとく学び取ってもらうつもりだ」

関は、その程度のことは当然だというような顔でいる。

「ゆくゆくは、わしに代わって、主だった算術を書にしてもらいたくてな。やはり、書の版行は、わしの柄ではない」

そこまで関に言わしめるのだから、この若き建部兄弟の才気の確かさが窺《うかが》えた。

可哀想なくらい緊張する建部兄弟に、春海は微笑んで言った。

「これはまた大変な師を持ったね」

賢明と賢弘が、揃ってうなずきそうになり、慌てて左右へかぶりを振った。

「必ずや精進してみせます」

兄が元気良く告げた。事実、のちに兄弟は成長して関とともに優れた算術書を出し、やがて師を乗り越え、新たな数理を開発することになる。その門派は〝関流〟と呼ばれ、建部兄弟はその代表格として名を成すのだが、このとき春海は、ただ噴き零《こぼ》れそ

うになる涙をこらえ、

「精進せよ、精進せよ」

声を上げて笑いながら、言った。

六

春海自身の精進が実を結んだのは、それから間もなくのことである。

延宝五年の冬から七年の夏にかけて江戸や京などで書として出版された〝日本の分野〟は、まさに全国規模の注目を受けた。

『天文分野之図』

精密な天測と運行の計算とに裏打ちされた星図の全てが、全国各地の大地に照応されており、星々の位置やその蝕《しょく》などから、各地の〝吉凶〟が一目瞭然《りょうぜん》となる。春海のこれまでの技芸、そして神道の教養の集大成であった。その出来映えに、江戸の天文家、京の陰陽師《おんみょうじ》、各地の僧たちが揃って唸《うな》ったという。そればかりか、巻物の装丁を生業《なりわい》とする経師たちが、春海の『天文分野之図』を、一つの美とみなし、何の関係もない本の表紙に流用したのである。それにより、さらに天文暦術や数理とは無縁の人々の間にも、〝天文図〟が一挙に流行したのだった。

その成果というか、ちょっと想像しなかったものを闇斎が手に入れ、春海は面食らった。なんと美人画である。背景や着物の柄に〝天文図〟があしらわれていた。そればかりか絵の主役である女が、婀娜《あだ》っぽい様子で読んでいる本そのものが、『天文分野之図』なのである。

とは言え家で美人画など飾れば、えんの無言の冷罵《れいば》が待っている。代わりに麻布の礒村塾に持っていき、村瀬にあげることにした。たまたま江戸に戻っていた関も塾に来てそれを見た。

関は、延宝六年に甲府宰相たる徳川綱重が没してのち、その子の綱豊《つなとよ》に仕えて勘定吟味役となっている。城中にお勤めを持つ春海が、おいそれと邸宅を訪問するのも憚《はばか》られるため自然と礒村塾で会うことが多くなった。そのときも、春海が持参した魚を炙《あぶ》って食べながら、春海の事業の成果であることを言い訳に、いい歳の男が三人、美人画を囲んであれこれ真面目な顔で話すという、大いに楽しいひとときを味わった。

「絵の構図というのも、なかなか算術的だ」

関は、ぱちぱちそろばんを弾《はじ》き、余白と女の面積やら、女の背丈と腕の比やらを算出し、

「〝解答さん〟も、女に関しては一瞥《いちべつ》即解とはいかないかね」

村瀬にからかわれたりした。

「解く段取りがむしろ冥利《みょうり》」

しゃらっと関が返すのへ、村瀬も春海も馬鹿みたいに笑った。

春海に考察の山を託して以来、関から事業について進捗《しんちょく》を尋ねることは一度もなかった。

江戸にいる間、春海はしばしば村瀬や関と碁を打った。彼らが指導碁を望んだからでもあるが、何より〝碁会〟と称して安藤を招くためでもあった。これも十数年かけて果たせた約束である。安藤はたちまち関の才気に心酔し、藩士としての立場から師事できないことを惜しんだ。

そんな算術家同士の交流においても、関が率先して改暦について語ることはなく、

「また天に近づいたな」

春海が何かを成し遂げるたび、そんな風に端的に称《たた》えるだけである。一方で、数理算術の話題は年々、鋭さを増してゆき、春海に崇敬の念を抱かせんばかりであった。事業推進を急《せ》き立てるのではなく、術の研鑽《けんさん》を共有することで、春海を無言のうちに支援する。その代償など何も求めない。ただ春海の歩みを信じている。それがこの天才の一貫した態度だった。

一方、春海は『天文分野之図』の書を、伊藤が葬られた寺と、伊藤の子息に献納し、

「やっと出来ました、伊藤様」

伊藤の病没から八年、ようやくの成就をもって、改めて冥福《めいふく》を祈った。

さらに同年、春海はまたもや注目を浴びるものを版行している。

『日本長暦』

という書で、かつて改暦事業が開始された際、闇斎が提言した〝暦註《れきちゅう》の検証〟を、本当に神代の過去にまで遡《さかのぼ》って当てはめたのである。その最初のものは既に〝分野作り〟の過程として、延宝五年には出来上がっていた。それを世に広めさせるものとして精錬した書であった。

これら『天文分野之図』と『日本長暦』の発表により、春海は中国の占術概念を飛び越え、まったく新たな、日本独自の国家的占星術の基礎を、ただ一人で試行した人物とみなされた。

安藤や、会津にいる島田からも、

「神憑《かみがか》りの偉功」

と敬われるほどで、闇斎や、神道界筆頭たる吉川惟足からは、

「安倍晴明《せいめい》に匹敵せんとする学士」

などと激賞された。

「陰陽の鬼神呪術《じゅじゅつ》がなんぼのもんや。天文暦法と神代の奥義こそこの国の秘儀の根幹や」

そう言って闇斎は、春海の背も肩も、ばしんばしんと、ぶっ叩《たた》いて喜んでくれたものだ。

あるいはそれ以上に喜んでくれたのが、かの水戸光国である。『天文分野之図』と『日本長暦』とを、ごつい両手にそれぞれ握りしめ、

「うぬう」

ものすごい唸り声を発しつつ、ぶるぶる震えていた。額に太い血管が浮いており、今度こそ、その岩のような拳《こぶし》で殴殺されるのではないかと、春海は生きた心地がしない。

「そなた、いったい幾つ、歴史に残るものをこしらえれば気が済む」

「か……過褒《かほう》にて……」

「何が過褒か。当然の評価と思え」

殺気のこもった尊敬の眼差《まなざ》しという、およそあり得ない睨《にら》み方をされた。

「ここまでしておきながら、改暦の儀、よもや諦《あきら》めはせんだろうな」

「はい」

春海は断言した。そのための分野作りであり暦註検証なのである。目的は授時暦の検証だけではない。中国からもたらされた至宝のごとき暦術から離れる。そうして日本独自の術理を新たに創出する。それこそ改暦のただ一つの突破口なのだと、このと

き春海は深く確信していた。

「水戸が助ける。会津にも手伝わせる。何でも渡してやる。何か必要なものはあるか」

光国が身を乗りだして言った。早く見せろとねだる子供のようだった。春海は僅《わず》かに逡巡《しゅんじゅん》したが、すぐに腹を決めた。

「一つだけ、入手できぬものがあります。元は洋書です。題を、『天経或問《てんけいわくもん》』と言います」

さしもの光国が言葉を失い、

「ぬう」

虎の唸りを思わせる声を零《こぼ》した。

『天経或問』とは、中国の游子六《ゆうしろく》という人の書で、西洋の天文学の詳細が記されているものとして、名だけは有名だった。だが切支丹《きりしたん》の本格的弾圧と禁教令の全国施行により、洋書の類とみなされるものはほぼ禁書とされている。その禁制をすり抜けるただ一つのものが漢訳版や漢書だった。切支丹の教義が記されていないものに限り、一部の者にのみ読むことが許されているのである。

だが『天経或問』は、切支丹の教義書ではないとされているものの、星は宗教と密接につながっている。どこで切支丹の記述に出くわすかわからない。禁教令を破ったとみなされれば、即座の投獄が待っており、春海の人生は終わる。

「覚悟はあるのか」

光国が訊《き》いた。

「天に手を触れようというのです。生涯をかけねば届きはしませぬ」

春海は即答している。もはやただ時間をかけて研究すればいいという段階は終わっていた。今、完全に別の角度からの検証が必要となっていたのである。そして春海の中では、〝何を検証すればいいか〟が、やっと朧気《おぼろげ》ながら察せられようとしていた。そこからさらに理解と確信を得るためには、中国でも日本でもない、第三の視点である洋書の存在が不可欠と考えるようになったのである。

ふいに、虎がにやりと笑った。この上なく恐ろしく、また頼もしかった。

「案ずるな。何があろうと決して、そなたとその一族に、手は出させぬ。たとえ相手が将軍その人であろうと、余がそなたを守る」

光国は約束を守った。翌年初め、解読に何の不都合もない、驚くほど破れも染みも皆無の『天経或問』が、ほとんど秘匿公文書の扱いで、江戸の会津藩邸に送られ、春海に渡されたのである。しかも光国の〝学問好き〟が、ただの趣味ではなく、藩政や幕政を左右するものである証拠に、いったいどうやって手に入れたのか、南蛮人が製作した地図まで添えられていた。

『坤輿《こんよ》万国全図』

という世界地図である。マテオ・リッチというイエズス会の宣教師が、布教のため訪れた中国で天文学を教える傍ら、製作した地図であるという。さすがの春海も初めて見たときは唖然《あぜん》となった。いったいどこに日本があるのかわからない。やっと見つけたと思ったら、小石のごとき国土に仰天した。京でその地図を広げているとき、えんに後ろから覗《のぞ》かれ、

「これが日本ですか？」

疑わしげに訊かれた。だが春海はこれが事実なのだとすぐに理解している。星の観測を通して、地球が巨大な球体であることはとっくに知っていたし、その球体の上に乗った、離れ小島のような列島が、日本であることにも納得していた。

「この世は、これほど広大だということだ。私たちが小さいのではなく、世が大きいのだ」

春海はえんに、そう説明している。

「あと六年ですよ」

えんが、なんだか急に心配になったように言った。まさか自分の良人《おっと》が、これほど巨大なものを相手に奮闘しているとは思っていなかったというような顔である。だが

春海は地図を見ながら、

「必至」

強い笑みを浮かべて告げている。これほどのものを光国が用意してくれたお陰で、さらに自分が飛躍するだろうという予感があった。春海を見つめるえんも、それ以上は疑いを口にせず、

「はい」

と楽しげに微笑んだ。

事実、培い続けてきた知識と技術に加えて、西洋の視点を採り入れることにより、春海は飛躍的にその見識を深めている。だがその間、改暦に関わる者たちは次々に世を去っていった。

延宝八年、夏。島田貞継が病で逝去した。

死の寸前まで天測研究を続け、改暦のための重要な資料を多く遺《のこ》してくれたことを、安藤が手紙で報《しら》せてくれた。島田は、安藤にとってかけがえのない算術の師匠である。

〝ついに主君の遺命を果たせず〟

という島田の無念と、

〝どうか改暦成就を〟

強く願う安藤の思いとが、ずしりと音を立てて春海の身に降りかかった。春海はそれをしかと受け止めている。本当の改暦へ、あと一歩で到達するのだ。そう安藤に告げ、成就を誓った。

そして、そのひと月余りのちの、五月。

将軍家綱が、四十歳の若さで急逝した。病没である。幕閣の誰もが軽い風邪と思っていたらしい。家綱はやや病弱であったとは言え死の直前は健康そのものだった。跡継ぎすら定まっておらず、突然の死に、城が緊迫した。大老酒井は、対処について老中たちの質問に即答せず、ただじっと宙を見つめていたという。心の中では、五代将軍の候補が様々に駆け巡っていたのかもしれない。

が、にわかに政変が起こった。

老中である堀田〝備中守《びっちゅうのかみ》〟正俊が、まさに電光石火の動きを見せ、家綱の異母弟である綱吉《つなよし》を擁立した。堀田がそれほどまでに強引な手段で政権を左右しようとは誰も思わなかったらしい。確かに、堀田の亡き父はかつての家光の側近、春日局《かすがのつぼね》の遺領を継いで家格に不足もなく、歳も四十七歳、きわめて壮健である。だが何しろ老中格の中でも末席にあり、勝手に徳川家の一員を担ぎ上げるなど、下手をすれば謀反《むほん》である。

けれども大老酒井は、不思議なほど何の対処もしなかった。猛烈な速度で堀田やその一族が権力を奪取するのを淡々と眺めていた。己の地位が危うくなることに対して、およそあり得ぬ無関心さを示し、中立的な幕閣の面々が、呆気《あっけ》に取られるほどだったという。

かくして家綱薨去《こうきょ》から、たった三ヶ月後の延宝八年八月。

綱吉は五代将軍宣下を受けて、徳川幕府に君臨した。城中の権力構図が一挙に変貌《へんぼう》し、末端の武士たちから大奥の女房たちに至るまで、栄枯盛衰の見本のような権力逆転が起こった。

そして十二月、酒井は大老職を罷免された。翌年、大老に任じられたのは、むろん堀田正俊である。酒井は、将軍となった綱吉が鼻白むほど、その依怙《えこ》の沙汰《さた》そのもののような人事をあっさり受け入れた。そして翌年二月、酒井は家督を子息に継がせて公務を退き、隠居した。

その直後、公務で江戸にいた春海は、久々に酒井に招かれ、碁を打っている。

場所は、下馬所前の、酒井の邸宅だった。考えてみれば城内で碁を打ったことはあれど、酒井の邸宅を訪れるのは初めてである。〝下馬将軍〟などと揶揄《やゆ》された割には、豪奢《ごうしゃ》さとは無縁の、さっぱりとした雰囲気の邸宅だった。

実のところ春海は、今一つ、酒井に招かれた理由がわからずにいた。かつての改暦事業の際は、保科正之の意図があっての指導碁指名だったが、改暦失敗ののちは完全につながりを失ったと思っていたのである。政変で地位を追われた悔しさを、事業に敗れた春海と分かち合おうなどという感性は、まるで持ち合わせぬ人であることはよく理解していた。

酒井の真意がわからぬまま、昔通り淡々と碁を打った。幕府の行く末が左右されるほどの政変の渦中にあったとは思えぬほど穏やかな、酒井の打ち筋だった。勝負の意欲や、怒りや悲しみどころか、碁を楽しもうという気配すら驚くほど欠如しているのが、この人らしかった。

「まだ、天に手を伸ばし続けているようだな」

ふと、酒井が言った。

「は……」

春海は相変わらず何と返事をしたら良いものかわからず、短く答えている。そんな事業は無駄だと言われるのだろうかと、ちょっと警戒した。

かと思うと酒井は手を叩《たた》いて人を呼び、

「あれを」

と、あるものを部屋に運ばせた。

何であるか、すぐにわかった。命令として身に帯びさせられ、そして一方的に返納を命じられたもの。春海が見慣れた、あの二刀である。二十三歳でいきなり与えられ、三十九歳で返納し、そして四十三歳の今、再び、春海の傍らに置かれた。

「お主のものだ」

返答に困るほど機械的な酒井の言だった。

「は……、しかし……」

「もとは保科公が用意させた刀だ。給金から天引きされることはない。わしが買った」

そう言うと、さらに人を呼んだ。今度は重そうな袋が刀のそばに置かれた。音で、金子《きんす》だとわかった。かなりの額である。

「事業に使え。色々と必要であろう」

「な……なにゆえ、酒井様が……」

春海は完全に面食らって、礼すら言えずにいる。酒井も酒井で、

「さて」

小首を傾げるようにして盤面に目を向け、ぱちんと石を置いた。何の答えにもなっていない。だが春海はなんとなく、〝これでひと安心〟と呟《つぶや》きを聞いた気がした。置かれた石の呟きだった。城の激務に耐え、幕府安泰に尽力し切った者が、生まれて初めて、ほっと息を抜いたのだ。

「金は、使いたいように使え。だが改暦の儀を成すときは、刀を差しておれ。保科公が望んだことだ」

武家の手で文化を創出し、もって幕府と朝廷の安泰を成す。確かに保科正之の願いだった。

酒井自身がそのことに関心があるのかないのか、結局、春海にはわからなかった。

この二刀と金は、いわば酒井の〝身辺整理〟の一環なのだろうと、そんな風に思った。今、正之とともに将軍家綱の治世のもと、泰平の世作りに尽くした男が、その仕事を終えたのだ。自分は正之と酒井の申し子かもしれない。そんな思いとともに春海は改めて平伏した。

「ありがたく頂戴《ちょうだい》いたします」

酒井は自分が打った石を見つめ、ふと庭を見た。庭木の向こうに、江戸城が見えた。

「大きな城だ」

不思議そうな酒井の呟きだった。その大きな城を背負って、公務に身を費やし続けたのだということを、誇るでもなく、ただ実感しているのだろう。

「はい、酒井様」

春海は、そっと言い添え、二人で黙って城を見た。

天守閣が喪《うしな》われた虚空に、気づけばさらに新たな時代の青空が広がっている。

「これほど大きかったのだな」

酒井は言った。

それから三ヶ月ほどのちの五月十九日、酒井は逝去した。享年五十八歳であった。

七

将軍綱吉の態度は、見苦しい、の一言だったという。酒井の訃報《ふほう》を聞くなり、腹を切ったのではないかと疑い、怖れ、墓を掘り返せとまで言った。自分で罷免しておきながら、死をもって諫言《かんげん》されたのではないか、他の幕閣の面々が酒井に倣うのではないかと恐怖したのである。

そんな将軍様の言動が下々《しもじも》の者にまで伝わり、なんと春海の耳にも入った。しかもただの根も葉もない噂ではなく、確かな事実として、その日のうちに城中に広まっていた。

それ自体が異常である。正当な手続きを経て座に就いたのではないということが醜いほど露呈していた。よもや将軍がそのような狼狽《ろうばい》を見せるとは、擁立した堀田自身も驚いたらしく、

「酒井は病で果てましてございます」

老中たちと一緒になって宥《なだ》めたものの、誰もが、

（暗愚の将だ――）

その予感を抱いたという。それでも、その将を支えねばならない。それが、戦国の世を葬り、泰平の世へ辿《たど》り着いた徳川幕府の使命だった。また同時に、綱吉を擁立した堀田一族、またその係累である稲葉一族や、政変を支持した全ての者にとって、もはや避けて通れぬ道だった。

酒井が失脚してのち、事態は、春海個人にとってきわめて有利に動いた。

保科正之から改暦の儀を春海に担わせるようにという遺言を受けていた稲葉正則や、その息子であり正之の娘婿である稲葉正通などが、以前よりも重用されたのである。

また綱吉は、保科正之を〝理想の君主〟と称《たた》え、その善政を真似ようと必死になった。

必然、改暦の儀や、かつて春海が創案した〝天文方〟の構想に、将軍綱吉その人が興味を持っていることが、稲葉父子を通して、春海にも伝えられた。しかし当の春海が、そこですぐさま改暦建議を試みていない。まだまだ研究し、検証しなければならないことが残っていたし、実際の改暦の算段を整えるには、布石が足らなかった。

代わりにと言うわけではないだろうが、綱吉は年号を革《あらた》めた翌天和《てんな》二年、神道家の筆頭と目される吉川惟足を招き、寺社奉行直下の〝神道方《しんとうかた》〟を創設させ、その初代に任命した。

初めて幕府の中に、日本古来の儀式や知識を本格的に研究する文化機関が設けられたわけである。これによって全国の神道家が幕府統制下に置かれる一方、吉川惟足を代表として神道家たちの結びつきが強固となった。吉川惟足は、保科正之に〝土津公〟の霊号を授けた人である。改暦の儀に賛成しており、春海にとっては強力な支援者を幕府の中に得たことになる。

が、それ以上の支援者を、春海はこの年に喪った。

闇斎が死んだのである。

「六蔵……いや、春海よ。お前に、我が奥秘を授ける。惟足殿が証人となる」

病で危篤となった闇斎は、床に臥《ふ》せたままそう言った。いつもの、どこの訛《なま》りだかわからぬ口調ではなく、貴人相手の講義のときの口調だった。そのせいで悲しみがいっそう増した。そんな風に別れの言葉を告げられたくなかった。

「嫌です、先生。いよいよなのです。授時暦の誤謬《ごびゅう》は明白です。新たな暦が始まるのです」

完全に青年の頃の態度に戻って春海は泣いた。いつの間にか自分が四十四歳になっていることなど意識になかった。それどころか青年からさらに子供に戻ったように喚《わめ》いた。

「どうかそれまで生きていて下さい。死なないで下さい。もうすぐです。もうすぐ

「宣明暦の予報が、再び日月の運行から乖離《かいり》する、か」

闇斎が微笑んで言った。〝証人〟として待機する吉川惟足も、真剣な面持ちでうなずいた。

「そうです。すぐです。ですから先生……」

「わしは消えるわけやないぞ」

急に、いつもの調子に戻り、闇斎が優しく笑った。

「この身にあった心が、霊となり、神へと戻るんや。そんでな、保科様や、お前の父や、前妻のおことと再会してな、お天道《てんとう》様とお月様と一緒に、お前を見守るんや」

春海は震えながら泣いた。やっとのことで、

「はい」

と言った。

「我が生涯をかけて見出《みいだ》した、垂加《すいか》神道の奥秘、どうか受け継いでくれ」

「はい、先生……」

「惟足殿」

「ここに」

闇斎が、吉川惟足に助けられながら身を起こした。そうして、闇斎から春海へと秘

伝が伝授された。それこそ闇斎の命そのものだった。これにより春海は神道の一派をなす権限を得て、晴れて神道家の一員となった。改暦の儀において有用なことこの上ない立場を得たのである。

「お前の暦で、幕府を、朝廷を、日本全国を、あっと言わしたれ」

闇斎が、その生涯最後の豪毅《ごうき》さをみせて笑った。

天和二年九月。闇斎は世を去った。霊社号は垂加霊社《しでますれいしゃ》。享年六十五歳だった。

翌年、まるで入れ替わるかのように、春海のもとに別の命が訪れている。

えんが子を産んだ。男児だった。昔尹《ひさただ》と名づけられたその子を抱いて、

「ありがとう、ありがとう」

それ以外の言葉をすっかりどこかへ落としてきたかのように、春海は、えんと子の両方に向かって繰り返し言った。あまりのはしゃぎように、

「落ち着いて下さい。落としますよ」

えんにあっさり子供を引っ剥《ぺ》がされてしまった。母子を見つめながら、

「私より先に死なないでくれ、な」

思わずそんなことを口にし、

「私が、この子を死なせると思っているのですか」

猛烈に叱られた。

「いや、お前も子も……」

はいはい、と手を振られ、

「それより、あと三年ですよ」

「うん、もうすぐだ」

顔を引き締めてうなずく春海の指を、子供の小さな手がそっと握っている。

「もうすぐ、この手が、天に届きそうな気がするんだ」

そして天は、春海の予想を超えた姿で現れた。

天和三年春。

京の生家で最終的な検証を一人で行った結果、春海はまず大地と、そして天を見た。

どちらにも誤謬があり、その正しい姿がにわかに出現したのである。

一つは、大地だった。授時暦が作られた中国の経度と、日本の経度、その差が、術理に根本的な誤差をもたらしていたことを実証したのである。北極星による経度の算出、その〝里差〟の検証、さらには漢訳洋書という新たな視点によって、その誤謬が確実なものとなった。

すなわち授時暦は中国においては〝明察〟である。その数理に矛盾はない。だが日本に持ち込まれた時点で、観測地の経度が変わり、ひいては授時暦そのものが〝誤謬〟となるのである。

　中国から渡ってくるものは無条件で〝優れたもの〟とされるが、春海はその考えをここで初めて完全に捨て去っている。星がその考えを捨てさせた。天元《てんげん》たる北極星が、それを遥《はる》か以前から教えてくれていた。自分を始めとして、誰もそれに気づかなかっただけで。

　さらにもう一つ。

　春海の中で、何にも増して堅固だった常識が打ち砕かれた。それは天体の運行であった。

　膨大な数の天測の数値を手に入れ、何百年という期間にわたる暦註《れきちゅう》を検証した結果、太陽と月の動きが判明したのである。

　太陽と惑星は互いに規則的に動き続けている。そのこと自体は天文家にとって自明の理である。

　だがその動き方が、実は一定ではないということを、春海は、おびただしい天測結果から導き出したのだった。

　太陽は、地球に最も近づくとき、最も速く動く。逆に最も遠ざかるときには、最も遅く動いているのである。これは、厳密に秋分から春分までを数えるとおよそ百七十九日弱なのに対し、春分から秋分までは、およそ百八十六日余であることから、明らかになっていた。

後世、〝ケプラーの法則〟と呼ばれるものに近い認識である。このいわば近地点通過と、遠地点通過の地点もまた、徐々に移動していく。となると、その運行はどんな形になるか。

楕円《だえん》である。

「……そんな馬鹿な」

思わず呟《つぶや》きが零《こぼ》れた。だがそれが真実だった。今の世の誰もが、星々の運行を想像するとき、揃って円を思い描く。真円である。それが、神道、仏教、儒教を問わず、ありとあらゆる常識の基礎となっている。そのはずではなかったのか。星々の運行、日の巡り、月の満ち欠けにおいて、いったい誰が、こんな、奇妙にはみ出したような湾曲した軌道を想像するというのか。

天の星々は規則正しく動くという常識からすれば、地球と太陽が遠くなったり近くなったりしていること自体が想像の外だった。しかも矛盾なく検証すればするほど、近地点すら、ずれてゆくのである。定まった楕円なのではなく、その楕円自体が、ゆっくりと移動していた。そして驚くべき誤謬を招いた。なんと授時暦が作られた頃は、近地点と冬至とが一致していたのだ。このため授時暦を作った元の才人たちは、それらが常に一致し続けるものとして数理を構築したのである。だが今、四百年もの時間の経過において、この近地点は、冬至から六度も進んでいた。

大地たる経度の差。天における太陽との距離の誤差。この二つが、

(――算哲の言、また合うもあり、合わざるもあり)

酒井に厳しく断じられたあの言葉を招いたのである。今、それがわかった。畏《おそ》れ多くて身が震えた。暦法どころではない。なんと、万民が長く抱き続けてきた大地と天の姿そのものに誤謬と正答を見たのである。しかもこの日本で、今それを知るのは、おそらく己一人なのだ。怖くて怖くてたまらなくなった。

が、ふとその怖さが遠のき、代わりに、かつて聞いた声が甦《よみがえ》った。

(ときに惑い星などと呼ばれますがねえ。それは人が天を見誤り、その理《ことわり》を間違って理解してしまうからに過ぎません。正しく見定め、その理を理解すれば、これこの通り)

「天地明察です……伊藤様」

途端に、万感が込み上げてきた。どうしていいかわからず、ふらふら立ち上がって部屋を出た。観測器具が所狭しと設置された庭に立って、ぼんやり空を見上げていると、えんが気づいて庭に下りて来た。

「やったよ、えん」

ぼんやり告げた。

「おめでとうございます、旦那様《だんな》」

えんがにっこり笑って言った。

どっと涙が溢《あふ》れ、春海の頬を濡《ぬ》らした。何もかもが霞《かす》むのに、青空だけが澄み渡っている。

春海、四十五歳。実に北極出地から二十二年の月日を経て、天に触れた瞬間だった。

八

「大和暦《やまとれき》というのはどうだね、渋川」

関孝和が気楽に言った。口調は気楽だが決して侮っているのではない。〝大和〟という最大級の称賛に等しい名も、春海の功績においては当然であると言っていた。

「……過分の名ではないでしょうか」

春海は照れ臭そうに首をすくめている。村瀬が笑って請け合った。

「なあに、渋川さん。関さんが言うほどだ。みなが納得するに決まってる」

儀村塾を訪れていた。関と約束してのことだ。

「では……請願の折には、その暦名で……」

「うむ。是非そうしなさい。お主の暦法に値する名は、そうそうないのだから」

関にそう言われ、なんだか気恥ずかしいほど嬉《うれ》しかった。授時暦における経度の差と、天の常識そのものに誤謬《ごびゅう》を見出《みいだ》してのち、正しい数値と数理をもって整えた暦法だった。今、これ以上の正しい暦法は日本に存在しないと断言できたし、会津にいる安藤などは、

『まさに明察。敬服仕《つかまつ》った』

という感じの、珍しいほど長々とした称賛の文章を書いて送ってくれていた。その上、関や村瀬にまでこう言われるのだから、疑うべきことなど何一つない。後はただ、数理の研究をどこまでも深めてゆくことで、さらに暦法を確かなものにし、新たな発見を求めるばかりである。そしてそれは春海の生涯のみならず遥か後世にまで委《ゆだ》ねられるべきことがらだった。

一方で、このとき関からも、新たな成果が出されていた。

『解伏題之法』

という、二年ほど前にほとんど完成していた稿本である。そこでまたも関は新たな算術を発明していた。後世、〝行列式〟と呼ばれるようになるものを、まったく独自に発明したのである。しかもこの術理は、このときまだ中国や日本のみならず、ヨーロッパにすら存在していない。授時暦の誤謬を見事に見出してなお、強烈な衝撃をこうしてもたらしてくれる関に、春海の方こそ敬服する思いだった。

「関殿が見出された術理こそ、〝和算〟と呼ばせていただきたくなります」

「よせよせ。お主の暦法の前では、気恥ずかしいだけだ」

「何を仰《おつしや》る」

「お主こそ」

村瀬が、愉快そうに膝《ひざ》を叩《たた》いて笑った。

「たまらんよ、あんたたちは。それはそうと、今度の改暦勝負はいつだい、渋川さん？」

春海は顔を引き締め、

「じきに」

と告げた。事実、改暦の気運はまた少しずつ高まりつつあった。何しろ宣明暦の誤謬は明らかなのである。以前の改暦請願から既に十年、その誤謬はますます甚だしく、各地で話題になっていたし、何より将軍綱吉が改暦に興味津々だった。

「だが大老はそうではないと聞く」

関が言った。新たに大老職に就いた堀田正俊の政治姿勢は、ひと言で称することが出来た。すなわち〝緊縮〟である。天和《てんな》三年、世はこれまでにも増して大不況に陥っていた。『飢民数万』などと、全国から悲愴《ひそう》な報告が江戸に集まるほどだった。しかし堀田は、

〝天意の前に仕方なく慎む〟

という、かつて保科正之が斬って捨てた、武家にのみ都合の良い民生否定を美徳とし、効果的な政策をほとんど行わずにいた。堀田はあの山鹿素行を師として崇《あが》めており、山鹿も山鹿で、堀田の思想を正当化するための新たな武士の理論をずいぶんと提供している。堀田と山鹿。この二人がいる限り、改暦の儀は至難である。将軍綱吉さえそう思っている節があった。

「方策はあります。やや、あざといものではありますが」

だが春海は恬然《てんぜん》と微笑んでいる。これより春海は、じっと腰を据えて改暦への算段を見極め、着々と布石を打つことに努めた。保科と酒井の二人から学び、二十余年の歳月で培い、江戸と京という日本の二つの中心地を往復し続けた生活で身につけた態度であり戦略である。

堀田の〝緊縮〟はやがて江戸城そのものを貧窮に陥れた。城中で働く者たちに、賃金が支払えなくなる可能性すら生じたのである。しかも将軍綱吉も堀田も、それを自分たちの無策のせいではなく、自然現象であるかのように老中たちに伝えた。国の権力者が、官吏に給与支払いの不能を吐露するなど、暗愚を通り越して早くも末期症状と言って良かった。

そこへ、春海の〝あざとい〟一手がするりと打たれた。

それは稲葉正通を通して堀田に渡され、抜群の効果を発揮した。すぐさま稲葉正通の同席のもと、指導碁と称して、春海が堀田のいる部屋へ呼び出された。

「これは、まことか？」

堀田が訊《き》いた。碁盤の上に、春海が稲葉正通に渡した文書があった。碁笥《ごけ》すら最初《はな》から用意されていない。せめて碁を打ちながら話すといった余裕はないのだろうかと、まったく違う感想を抱きつつ、平伏しながら淡々と返答した。

「はい」

「この、頒暦《はんれき》とやらだけで、これほど莫大《ばくだい》な金を集めるというのは、まことなのか？」

「はい」

「改暦が幕府に財をもたらすと？」

「はい」

そこで堀田が黙り、ようやく同じ質問の繰り返しをやめた。春海の機械的な反応から、

（まるで酒井と話しているようだ）

堀田がそう思っているのが、亡霊でも見るような落ち着かぬ目つきからわかった。怯《おび》えるというほどではないが、大老にしては胆力がないな、と他人事《ひとごと》のように春海は

思った。

そこで、見かねたのか、稲葉正通が言葉を挟んだ。

「帝《みかど》が改暦の勅を下されるかもしれない」

このとき稲葉正通は京都所司代であった。朝廷の動きには敏感である。そして昨今の宣明暦による誤謬がようやく問題になり、朝廷自ら改暦を検討しているとの情報があるという。

「はい、存じております」

だが春海はとっくにその動きをつかんでおり、ますます堀田を鼻白ませている。

「武家が改暦に参加出来るか？」

稲葉が訊いた。

「一つ、お許しいただきたいことがあります。それが叶《かな》えば、できるでしょう」

「なんだ」

堀田が神経質そうに言った。

「二刀を差すことをお許し下さい」

これは春海を武家の代表にするということである。稲葉がちらりと堀田を見た。堀田はしかめっつらで黙っている。山鹿から理想の武士像を吹き込まれている堀田からすれば、碁打ちの佩刀《はいとう》など不快きわまりないのだろう。

「刀はあるのか」

稲葉が訊いたが、これは堀田の気持ちを促すためだと察せられた。

「以前、碁の席で、人から贈られたものがあります」

酒井からもらった刀だとは言わなかった。稲葉が目配せし、堀田が渋々と言った。

「そなたが朝廷を出し抜ければな」

春海はただ平伏し、それについては何も返答しなかった。既に改暦事業の開始の布石は打っていた。ただ、その後に必要な、最後の一手を探していたのである。

その一手は意外なところで見つかった。

天和三年九月。京で頒暦を売る大経師《だいきょうじ》家に事件があった。主人の妻と手代の不義密通が発覚し、店の金を盗んで逃げたが、協力者ともども処刑されたのである。主人の大経師意春《ともはる》はむろん裁かれることはなかった。むしろこの事件を逆手にとって売名するなど、頒暦商売の権利拡大に血道を上げている。したたかであり強欲だった。妻を喪《うしな》ったことなど何とも思わぬ人物で、

(使える)

春海はこの大経師の振る舞いからそう判断し、幾つかの根回しを行った。そうして最後の一手を定めてから二ヶ月後の、天和三年十一月。

ついに、予期されていたことが、起こるべくして起こった。

宣明暦が、月蝕《げっしょく》の予報を外したのである。しかも多くの者たちが、暦にある月蝕は起こらないとしていた。城中で、春海も何度かそのことで意見を求められ、

「起こりません」

断言していた誤報である。これが契機となり、十年ぶりに改暦の気運が高まった。いや、もはや宣明暦が誤謬《ごびゅう》だらけであることが常識となった上での、前回とは比較にならぬ強い気運である。春海の過去の挑戦を知る者たちが、頻繁にその話題を持ち出し、春海の反応を窺《うかが》った。だが春海は表立っては動かずにいる。自分から改暦についてロにすることは一切しなかった。ただひたすら、これまでに打った全ての布石が効果を発揮するのを見守っていた。

そしてついに朝廷が動き出し、改暦の勅が下されたときも、春海はきわめて平静でいる。

霊元天皇の名において発布された勅により、陰陽頭《おんみようのかみ》たる土御門《つちみかど》家が、改暦を行うことが決定されたのだった。かつて春海が改暦請願を単身で行ったことを知る幕府の面々は、たまらず呻《うめ》いた。保科正之に倣って武家による文化作りを理想とする将軍綱吉や、頒暦による莫大な収益を期待していた堀田などは、あからさまに落胆し、揃って嘆息したものだった。

「やはり、京か……」

堀田を始めとして老中全員が恨めしげにそう口にした。帝が指名し、公家《くげ》が先頭に立っての改暦に、武家の割り込む余地はない。天文暦法のみならず、日本の文化の中心は京であると、朝廷が宣言したに等しかった。その決定を覆すべが、江戸の幕閣にあるはずもない。

そうして誰もが諦《あきら》めた頃、幕府に対し、京都所司代を通して、ある書状が届けられた。

きわめて異例の書状だった。そしてその内容に、幕閣一同が仰天した。

『暦法家として、また神道家として名高い、保井算哲こと渋川春海様に、改暦の儀に参加してもらいたい――』

土御門家からの、上洛《じょうらく》要請であった。

九

「そなた、いったい、いかなるまじないを使った？」

恥も外聞もなく訊く堀田をよそに、

「は――」

春海は淡々と平伏している。正直、そわそわする堀田の気配が鬱陶《うっとう》しかった。だが、よりにもよって京の土御門家から、幕府に対し、直接、改暦の助けを求めてくるなどとは、堀田のみならず全ての幕閣の面々にとっても異常な事態であるのは確かだった。

「答えよ、算哲。土御門家の者と、いつ親交を持った」

「先方と面識はございませぬ」

「その周辺の者と親しくしたと――」

具体的な名を挙げさせようとしたところで、やっと堀田が黙った。これはあくまで春海個人の交友なのである。幕府の政治工作としてしまえば、朝廷も朝廷でどんな工作をしてくるかわからない。そうなれば幕府に分はなく、今度こそ改暦から完全に武家が締め出される。

もしこれが酒井だったら、そもそも呼び出すことすらせず、全ての手配を稲葉に任せ、無言で春海を送り出している。

(酒井様より数段下だ)

政治的な気配りがまるで足らない。やれやれと溜《た》め息をつきそうになりつつ言った。

「どうか上洛のお許しを下さいますよう」

「うむ。決してしくじるなよ」

「しくじれば腹を切ります」

当然のごとく告げた。堀田が、む……と低い声を漏らした。まさかこの程度の言葉で気圧《けお》されたのだろうかと春海の方が眉《まゆ》をひそめそうになっている。

「必要なものがあれば届けさせる。金、人、物、何でも使え。幕府がお主を援《たす》ける」

春海は静かに平伏し、無言のまま退出した。

京へ向かう途中、回り道をして関の自宅に寄った。江戸を発《た》つ前に、

「お陰様で、ようやく改暦の段となりました」

と、己の口で伝えたかったからである。それまでまったく事業の進捗《しんちょく》を急《せ》かさず、改暦の気運が高まったときも、ただ一人、何も言わずにいた関は、

「この国の暦が変わるな。お主の暦で」

そう感慨深げに微笑んでくれた。自分が支援したことはひと言も口にしない。全て春海の働きなのだと言っていた。かつて考察の山を渡してくれたときの、見送る者の眼差《まなざ》しだった。

「だが土御門の足下《そっか》とは……大丈夫なのか？　お主のことゆえ考えがあるとは思うが」

「弟子入りします」

さらりと告げた。さすがの関が目を丸くした。土御門家当主は春海より遥《はる》かに年下で、しかも暦法も数理も未熟との噂だった。

「本気か？」

「それが一番の手でしょう。相手の物を奪うからには、まず頭を下げるべきです」

「お主がわしに土下座したようにか」

そう言われて、春海は恥ずかしそうに首を縮めた。関は声を上げて笑った。

「大和暦の定石は、お主の手にある。京も江戸も無い。日本の暦を打ち立てろ」

春海が四十五歳のときのことであった。

十

当主である土御門泰福《やすとみ》は、好奇心旺盛《おうせい》な二十九歳。ふくふくとした頬が少年のようで、何につけても素直に感情をあらわにする。春海と出会った開口一番の言葉が、これだった。

「ほんまありがとうございます、春海様。お陰様で土御門の面目が立ちます」

しきりに茶菓子を勧めながら、はきはきと頭を下げる。泰福も決して愚鈍ではない。経験が浅いだけで頭脳は優れている。春海の暦法家としての実績も、碁打ちとしての名も、幕府を背景とした政治力もわきまえていた。そしてもっと言えば、公家層のどこにも、高度な数理を駆使して暦法を解き明かせる人材がいないことを知っているのだ。

たとえ帝《みかど》が望んだとしても、土御門家に改暦を担えるだけの実力はない。春海もそこを利用して改暦参加の道筋をつけたのだが、泰福の歓待には真情がこもっていた。

「ですが、ほんまによろしいんですか。春海様は闇斎様から秘儀を授けられ、惟足様とも親しいお方です。お立場を考えれば、私が……」

「あくまで私が弟子で、泰福様が師。それが一番、上手《うま》く行きます」

春海がにっこり笑って答えると、泰福は感激し、また恐縮した。その初々しさが春海には快かった。かつて自分とともに北極出地を行った建部や伊藤は、きっとこんな気持ちだったのだな、と思いながら言った。

「私にとっての大事は、定石です。天地の定石に辿《たど》り着くために、人の定石を守るに越したことはありません」

すると泰福は礼儀正しく頭を下げ、

「春海様の大和暦法は、必ず、帝のお気に召します。ともに改暦を果たしましょう」

立場上は師であることなど忘れ、すっかり春海に惚《ほ》れ込み、その暦法の教えを請うた。そして春海以上に、その大和暦にぞっこんになった。

「ほんまに素晴らしい。こんな……こんなものを、ようもお一人で成し遂げて……。私も土御門の名にかけてこれを学び、帝にお認め頂けるよう頑張ります」

暦法の術理修得に全力を傾ける利発な若者の姿に、春海はかつての自分を見る思いだった。

と同時に、自分と同じ過ちを犯すことを予見した。泰福は大和暦が採用されることをまったく疑っていない。だがたとえ暦法が優れているからといって、それが通用するとは限らないのだ。

春海は楽観していなかった。泰福に暦法を教える傍ら、毎日のようにあちこち出かけては情報収集に努めた。朝廷の定石、京という土地の定石、そして己の大和暦法という定石に、黙々と磨きをかけ続けたのである。結果、この改暦の困難さをはっきり認識した。

このとき、朝廷は改暦の勅を受けて、三者分裂を起こしていた。

一つは、春海がかねてから予想していた、〝民暦反対派〟である。彼らは、元が用いた授時暦や、中国の暦法を無視した春海の大和暦よりも、明で官暦として用いられた大統暦の方を採用すべきだと主張し、強力な工作を開始していた。

今一つは、なんと授時暦の採用を願う一派である。かつて春海が改暦に失敗して以来、むしろ授時暦の優秀さが世に伝わり、宣明暦を無視して授時暦を用いる者が増えたのである。それを背景に、我こそ改暦を担わんとする神道家や算術家を抱えた公家《くげ》層の者たちがいた。彼らは春海のことを、授時暦を捨てた〝裏切り者〟と罵《ののし》り、大和暦を否定することに熱心な活動を見せた。さながら亡霊だった。他ならぬ春海がこの世に放った、誤謬《ごびゅう》という名の亡霊である。

最後の一つは、帝の勅令で指名された土御門と、その門下に入った春海による大和暦である。

この三者分裂に春海は違和感を覚えた。特に授時暦を担ぐ動きが、いかにもわざとらしい。春海をいちいち非難する人々の言動が、今回の改暦の勅にどうにもそぐわない。春海は京都所司代や、親交のある公家たちを通して、その正体を知った。

（人を割るためか）

授時暦を推す一派の背後に、大統暦を推す者たちがいて操っているのである。その中心に、暦博士たる賀茂家の者たちがいた。春海の大和暦を支持する者が彼らの予想を超えて多かったのだ。そのため、わざわざ授時暦を持ち出し、大和暦を支持したかもしれない人々を分裂させ、大統暦を有利にする。春海を京に招いた土御門家ごと蹴《け》落《お》とすための策だった。

（上手いな）

春海はそれこそ素直に感心した。相手の布石を切ることは碁の基本である。朝廷工作における切り結びの妙がどこにあるか、春海は泰福には何も言わずに思案し続けた。

やがて、

（負けることには慣れている）

そんな自分の経験に、勝負の妙手を見た。勝ってなお、負けてなお、勝負の姿勢を保つ。

大統暦を推す一派が、どこまで〝残心〟の姿勢でいられるかを、じっと推し量った。一方で、えんを連れて京都市中をうろうろしたりした。あちこちの通りを見て回り、人混みの様子を観察しながら、市中で賑《にぎ》わっている場所を、えんから聞いた。

またさらに、日に五通から十通の手紙をしたため、いつでも出せるよう、準備を整えた。

その上で春海は、土御門泰福とともに、大和暦の採用を正式に上奏している。

続けて大統暦、授時暦と、それぞれの採用が上奏された。果たして泰福は、この動きにまったくついて行けなかった。勅令で指名された自分を無視するばかりか、授時暦上奏などという事態に唖然《あぜん》となるばかりである。そしてその工作は、見事なまでに効果的だった。

年号が変わり、貞享《じようきよう》元年三月三日。霊元天皇は改暦の詔《みことのり》を発布された。発布の直前まで、主だった面々が一堂に会し、決定を待った。その間、春海は泰福の緊張を和らげてやりつつ、その場に居合わせた面々をつぶさに見て取り、どこをどう切るか、あらかた目算をつけ終えていた。そして伝奏《てんそう》の到着が告げられ、

「大和暦法が採用されますよう……大和暦法が採用されますよう……」

隣で泰福がしきりに呟《つぶや》くのをよそに、春海の心は神頼みとはかけ離れた状態にあった。

ともに、こんな緊張の場にもかかわらず、幸福の思いが腹の底から湧いていた。

心の中で、そっと、積み重なっていった己の歳を数えてみた。

気づけば四十六歳。二十三歳の暮れに北極出地に赴いてから二十三年が経っていた。

いや、あの絵馬の群れを——瞬時に書きつけられた一瞥《いちべつ》即解の答えを見てから、二十三年だ。

からん、ころん。

幻の音が聞こえた。春海は目を閉じた。そして詔が読み上げられるのを瞑目《めいもく》したまま聞いた。

帝は、大統暦採用を下された。

賀茂家が陰で中心となって立てた明代の官暦である。彼らの工作によって、授時暦と大和暦、いわば春海の過去と現在の両方が、帝の採択から外された。

ゆっくりと春海が目を開くと、真っ青になった泰福の顔があった。信じられないという顔で春海を振り返った。

「は、は、春海様……ま、まさか……大和暦が……」

春海は無表情。その場にいる者たちの表情の変化から、この大統暦採用で誰が得をするのかを細かく見定めていた。ちらりと満悦の笑みを浮かべる賀茂家の者たちと目が合った。勝った者の気の緩みが如実に坐相《ざそう》にあらわれている。彼らの群れが、春海の目に、日だまりの老木と映った。幹ばかり鈍重に太った、虫食いだらけの巨樹だった。

春海が、ぽつりと言った。

「泰福様、このまま行きましょう」

「い……行く？　どこへですか？」

泰福は哀れなほど狼狽《ろうばい》している。詔が発布された今このときに、怒って席を立っては非礼を咎《とが》められるだけだった。だが春海は、ようやく泰福に顔を向け、こう告げた。

「上奏の準備ですよ」

泰福は愕然《がくぜん》となった。たった今、大統暦の採用が決まったばかりである。その席で、決定を覆す上奏の準備を口にする。朝廷に属する泰福の常識を粉々に打ち砕く態度だった。

「も……も、もう一度、上奏すれば……や、大和暦が採用されると言うのですか？」

泰福がおろおろと訊《き》いた。春海は、にこりと笑い、

「必至」

事も無げにそう口にした。

十一

詔が発布されたその日、春海はかねて用意していた二百八十通にも及ぶ手紙を全て出した。幕府に支払いを頼めないものもあり、手紙を出すための高額の支出を、全て酒井が渡してくれた金で賄《まかな》った。加えて、堀田に対して詳細な手紙をしたため、早急に届けさせた。

膨大な量の手紙が一斉に出されるのに唖然となっている泰福に、春海が言った。

「では行きましょうか、泰福様」

「ど……どこへですか、春海様」

「梅小路がよろしいでしょう。人がよく集まります。道具もすぐに届きます」

そう言ってしっかりと二刀を腰に差し、泰福とともに梅小路を訪れている。

既に、巨大な天測器具が大勢の者たちによって組み立てられている真っ最中だった。かつて北極出地に同行した中間《ちゅうげん》たちの働きである。中心となっているのは、建部家に仕えたあの平助《へいすけ》の息子、平三郎《へいざぶろう》である。父親にそっくりの寡黙さ、優秀さで、やって来た春海が声をかけても、

「ん」

と返しただけで、子午線儀の組み立てに集中している。全て春海が頼み、稲葉が手配したものだった。一尺鎖をじゃらじゃら鳴らしながら器具設置の場所を定め、手に特異な形状をした道具を持ち、往来のど真ん中に家屋でも建てるかのような柱を次々に立ててゆく。昔と違うのは幔幕《まんまく》がないことで、これは自由に道行く者たちに見学させるためである。そして実際、この異様な観測準備の光景に、多くの者たちが驚愕《きょうがく》して足を止め、人だかりができていた。

「は、春海様、いったい、なんですか、これは」

呆然《ぼうぜん》と棒立ちになる泰福に、春海は恬淡《てんたん》として言った。

「我々の大和暦法の確かさを、世の民衆にわかってもらうためです」

やがて巨大な子午線儀が組み上げられ、京市民が驚きの声を上げた。さらに大象限儀《だいしょうげんぎ》の設置が行われるのをよそに、春海は泰福とともに子午線儀の下に敷かれた緋毛氈《ひもうせん》に悠々と座った。そろばんを取り出し、ぱちぱち珠《たま》を弾《はじ》く。それから、さらさらと紙片に数値を書きこんでゆく。

「な、何をしているのです？」

「北極出地の予測です」

『三十四度八十七分十二秒』

という数値を見せ、にっこり笑って、そろばんを渡した。

「一緒にやりませんか」

「は、はい……」

泰福は、おずおずと受け取り、眉間《みけん》に皺《しわ》を寄せて算出している。

『三十四度九十八分六十七秒』

さすがに地元で天測を行う陰陽師《おんみょうじ》の末裔《まつえい》だけあってすぐに数値を出してきた。と、そのとき空にきらめきが見えた。春海は素早く立ち上がり、

「星だ！」

大声を放って、泰福を跳び上がらせた。

「天測を開始せよ！」

寡黙な平三郎を中心に、中間たちが手慣れた様子で、組み立てられたばかりの大象限儀の操作を始めた。何かが起こるらしいと、天測のことなど何も知らない見物人たちが、わっと期待の声を上げた。手順通りに三人がそれぞれ同じ数値であることを確かめた上で、中間の一人が数値を紙に記し、それを平三郎が、足早に春海のそばにやって来て、

「ん」

と手渡した。春海はそれを受け取り、二人が算出した数値と照合した。さすがに驚いた。

『三十四度九十八分六十七秒』

泰福もぽかんとなっている。秒までぴたりと合うとは思っていなかったのだろう。

「ほんまでっか、これ……」

急に京訛《なま》りになって二つの数値を何度も見比べる泰福をよそに、春海は再び立ち上がるや、

「明察なり！　土御門家当主、見事、北極出地にて明察なり！」

声を限りに叫びを上げた。なんだかわからないまま見物人たちがやんやと喝采《かっさい》した。泰福は両手に紙を握ったまま、驚きと喜びと気恥ずかしさで真っ赤になっておろおろしている。

「土御門泰福こそ星の申し子なり！」

春海は大声で笑った。演技でも何でもない、心の底から喜びが溢《あふ》れていた。

この日より、春海はこの小路で連日の観測を行った。北極出地だけではなく、恒星を片っ端から観測し、そのたびに春海と泰福とで数値の算出勝負をやったのである。

刀を差した春海と、陰陽師の出《い》で立ちの泰福との〝勝負〟は意外なほど衆目を集め、江戸が勝つか京が勝つかと、通りすがりの者たちがこぞって〝観戦〟し、銭を賭《か》けた。

これが話題となり、〝大和暦〟の名が京市民の間で評判になる一方、春海から手紙を受け取った者たちがぞろぞろとやって来た。

神道家、朱子学者、僧、陰陽師、算術家などが、春海と泰福の勝負を観戦したり、観測を手伝ったりしたのである。改暦に賛意を示して協力を惜しまない岡野井玄貞や松田順承も来てくれた。自然と、今回の詔《みことのり》と代々の暦法についての議論に沸いた。それも梅小路の往来でである。

言うなれば春海は、天体観測にかこつけて、民衆をひっくるめた公開討論の場を作り上げたのだった。そして人々が見ている前で、多くの専門家たちがこぞって大和暦を称賛し、

「日本の暦法、ここにあり」

と謳《うた》った。これら天体観測と数値の算出勝負、そして公開討論は、大統暦の採用など知らぬ顔で何日も続いた。そしてその間にも、春海が打った様々な手が、着々と実を結んでいたのである。

その一つが、詔の発布からひと月と経たずに効果を発揮した。

朱印状である。

前年、大老堀田および将軍綱吉が、春海の要請に同意し、土御門泰福を「諸国陰陽師主管」とし、朱印状を下していたのである。これが名ばかりではなく実権が伴うことが明らかになった。土御門家は、全国の陰陽師を配下とすることとなり、その収益は莫大《ばくだい》なものとなることは誰の目にも明らかであった。

これがまず最初に大きく局面を変えた。大統暦や授時暦を支持した公家《くげ》たちが、みなこぞって、ぞろぞろと土御門家になびき、わざわざ梅小路までやって来るようになったのである。

さらに春海は、前年、二度目の大和暦改暦の申請である『請革暦表』を作成する際、『今天文に精《くわ》しいのはすなわち陰陽頭安倍泰福、千古に踰《こ》える』と泰福を絶賛し、改暦手当として、土御門家へ、千石もの現米支給を取り計らっていた。

また、朝廷と幕府の間で起こるであろう頒暦《はんれき》を司《つかさど》る上での数々の取り決め策を、幕府を通して行っている。様々な権利交渉である。改暦に際し、どこかで誰かが損を受ければ、その者に別の形で得をさせる。ひたすらその繰り返しであった。

全て布石通りである。春海の予想外の出来事といえば、公家の者たちの心変わりの速さくらいだった。ほんの僅《わず》かな期間で、それまで官暦に固執していた公家たちが、揃って土御門に、ひいては春海と大和暦に称賛を送るようになっていたのである。

そうして、民衆の関心と支持、専門家たちの是認、公家の利得の心をつかんだとき、さらなる勝負の一手が打たれた。

かつて北極出地の際、春海たちを城に招いた、加賀《かが》藩主・前田綱紀《つなのり》が、春海の要請によって動いたのである。綱紀の娘の嫁ぎ先である西三条家が、綱紀の意向を受けて仲介役を承知し、朝廷を左右する相手との直接交渉の場を設定したのだった。しかもその相手こそ、関白に就任したばかりの一条冬経《ふゆつね》、のちの兼輝《かねてる》である。冬経は霊元天皇に最も近い存在として大和暦支持を確約した。加えて、そのことを朝廷内で公言したのである。これによって公家同士の連繫《れんけい》が切りに切られた。大統暦採用を受けて頒暦準備を行おうとしていた動きが、完全に遮られた。

またこの勝負の一手の直後、春海は以前から目をつけていた、大経師《だいきょうじ》意春とも会っている。

そしてこの人物に、大和暦の暦法による頒暦の大量作成と販売を一任し、京都所司代たる稲葉による認可を与えたのだった。大経師はすぐさまその巨利に飛びつき、率先して、大和暦以外の頒暦を作成・流通させないという、春海が想像した以上の、きわめてあくどい働きを見せた。

路上での公開討論、世論形成、土御門家への朱印状、関白の確約、販売網の掌握。

このとてつもない手の数々に対し、ついに大統暦支持派は壊滅状態となった。賀茂家にすら大和暦になびく者が続出した。お陰で、いったい誰がそもそも大統暦を支持したのかもわからぬ様相だった。今や公家層の大半が、大和暦を支持してしまったのである。

「では、行きましょうか」

さらりと告げる春海を、泰福は、総身を震わせながら見つめた。

「は、春海様は、ほんまに凄《すご》い……私の一生の師です。土御門の恩人です」

「私一人ではどうにもなりません。泰福様のお陰で、どうにか大任が務まりそうです」

春海はにっこり笑って言った。そうして、泰福とともに、再び大和暦採用を上奏した。

生涯を賭けた、四度目の改暦請願であった。


その夜、春海は、二十三歳の自分がどこかの道を歩いているところを夢に見た。ふと目が覚め、自分が京にいることを悟った。すぐ隣で、えんが眠っている。ひどく自然と笑みが零《こぼ》れた。

「幸せ者め……」

そんな言葉が零れた。かつて何の疑いもなく自分の未来に希望を膨らませていた若い頃の自分に向けての言葉なのか、今の自分に向けてのものなのかは判然としなかった。あの北極出地の測定を任されてから、今年で二十三年。今や、多くの算術家や、旧来の暦法を重んじる者、あるいは中国の学問が最高と信じる者からの罵詈《ばり》雑言が、春海一人に集中していた。そうまでして改暦の名誉が欲しいのか。そういう声が全国から聞こえて来た。

「うん……欲しいな」

闇の中で春海は呟《つぶや》いた。建部と伊藤に誉めて欲しかった。酒井と光国に天に触れたと告げたかった。死と争いの戦国を廃し、武家の手で文化を作りたいと願った保科正之の期待に応《こた》えたかった。闇斎の、島田の、安藤の、改暦事業を立ち上げた仲間たちの悲願を叶《かな》えたかったし、亡き妻に胸を張って報告したかった。村瀬に喜んで欲しかったし、えんと我が子に、自分の存在を誇ってもらいたかった。関孝和という男が託してくれたものを何としても成就させたかった。

己だけの春の海辺に立ちたかった。

それにしても、いったいいつの間に、これほどの人間が関わるようになったのだろう。どうして自分が、いつまでもその渦中にいられたのだろう。

からん、ころん。

そう思った途端、たまらない喜びが込み上げて来た。いつか聞いた金王八幡の算額絵馬の鳴り響く幻の音が鮮やかに耳に響いた。喪失した天守閣の向こうに広がる果てしもない青空を見た。それらの美しさを思いながら、いつしか微笑みながら泣いていた。

貞享元年十月二十九日。

大統暦改暦の詔が発布されてから僅か七ヶ月後のその日。

霊元天皇は、大和暦採用の詔を発布された。これにより大和暦は改めて年号を冠し、「貞享暦」の勅名を賜り、翌年から施行されることが決まった。

発布の場で、泰福は己の膝《ひざ》を握りしめ、ただただ滂沱《ぼうだ》の涙を流していた。

「ほ、ほんま……ほんまに……春海様……やりました……。大和暦が、認められました……。ほんまに、おめでとうございます……」

春海は、ただ静かに瞑目《めいもく》した。

感無量だった。

（勝った）

（勝ちましたよ）

過ぎ去った日々、この世を去った者たちの存在に、ただただ感謝した。

大和暦採用はすぐさま江戸に報《しら》され、

「武家が天に触れたのだ！」

その報告を受けた将軍綱吉は、そう叫んで歓喜したという。

幕閣を始め、城中が興奮に沸いた。幕府はただちに天文方創設と、春海の初代任命、そして頒暦による巨額の利益収入の用意を整えている。だが大老の堀田がその興奮を知ることはなかった。貞享元年八月二十八日、堀田は死んだ。殿中での刺殺であった。相手は若年寄であり縁戚《えんせき》にあたる稲葉正休《まさやす》という男で、これもその場で他の閣僚たちによって斬殺《ざんさつ》されており、なぜ凶行に至ったかは判然としない。

さらに堀田の死から一年後、山鹿素行もまた病で世を去った。最期まで武士の理念を唱え続け、春海の改暦についても、

「もって嗤《わら》うべし」

という態度を変えることはなかったという。

堀田と山鹿、ともに新時代を見ることのない逝去だった。

以後、将軍綱吉は己と老中たちとの連絡役である側用人《そばようにん》を重用し、保科正之に倣って文治政策を推進した。が、いつしか生類憐《あわれ》みの令を始めとした極端な弱者救済が民衆の反感を招き、暗愚の将として記憶されたまま、二十四年後に病で没することになる。

春海による改暦実現はすぐに江戸市中に広まり、これまでにない毀誉《きよ》褒貶《ほうへん》を招いた。特に算術家たちは口を極めて春海を罵《ののし》り、礒村塾でも春海を批判する声が上がるほどだった。

そんな中、村瀬と関孝和は平然とした様子で、二人揃って塾の庭で、空を眺めていた。

「やったなあ、渋川さん」

村瀬が嬉《うれ》しげに笑った。

「やってくれました」

関はそんな風に言って、空に向かって手を伸ばした。

ほろ苦い微笑みを浮かべて、自分には触れることが叶わなかった天を仰いだ。

十二

時は過ぎ、あるいは巡っていった。

大和暦が採用されてのち、初代天文方として士分に取り立てられ、江戸市中に邸宅が与えられるとともに、晴れて束髪が許された春海は、

「武士になってしまったよ」

なんとも照れ臭そうに、えんに言った。

「お似合いですよ、旦那様《だんな》」

えんも、からかうように笑ってくれた。

春海のなした改暦ののち、将軍綱吉は拙劣ながらも世を武断から文治へとさらに移行させていった。春海が文化事業をもって武家となり、また多くの文化人が城で役職

を得ていったことが、城を、ひいては江戸を、新たな存在にした。すなわち、政道や経済のみならず、人々の生活の様相を決定する、文化発信の場となっていったのである。

それから三十年後の、正徳《しょうとく》五年。

七十七歳の春海は、えんとともに、京で芝居を観ている。

近松門左衛門の作による『大経師昔暦《だいきょうじむかしごよみ》』で、例の大経師意春の醜聞がもとになっていた。

実際の意春は貞享二年、大和暦による頒暦《はんれき》で巨利を得てさらに販売網を拡大せんとして独占に走り、その年の内に京都所司代である稲葉の怒りを買って、改易《かいえき》させられてしまった。以後、大経師は茂兵衛《もへえ》という別の男が担うようになったのだが、これが意春の妻と密通した男と同名であることが、何とも皮肉だと噂になったものだった。

芝居では、現実と違って、妻と密夫は助命が叶い、最後はめでたく結ばれていた。

「面白うございましたね」

えんが観劇後に微笑んで言い、

「うん、うん」

春海もうなずいている。体力の衰えから半身が麻痺《まひ》し、上手《うま》く喋《しゃべ》れなくなっていた。

芝居を観終えた客たちの多くが、頒暦を手にしていた。芝居の中で語られる、暦にちなんだ台詞《せりふ》を楽しむためだろう。その暦法を作り上げた老人が、同じ客席にいるとは思ってもいない様子である。そのことを、春海はえんと二人で微笑んで話した。まさかこれほど自分が長く生きるとは、芝居の舞台となった当時から今に至るも、思ってもみなかったことである。お陰で、次々に自分を置き去りにするようにして人々が世を去るたび、春海はただなすすべもなく見送らねばならなかった。

改暦成就から十六年後の元禄《げんろく》十三年、水戸光国改め光圀が病で亡くなった。老年に至って名を光圀に変えたのちも最期まで教養と暴気に溢《あふ》れ、たとえ相手が将軍であっても遠慮することがなかった。生類憐みの令が極端化したときなど、自ら五十頭もの犬を叩《たた》き斬って毛皮を綱吉に贈り、法令反対を強烈に主張したという。

そういう怖い存在を遠ざけることを選んだ将軍綱吉の悪政はますますひどくなり、物価高騰を招いて世情不安を醸成した。その一方、世は華々しい元禄の時代へと突入し、江戸はかつてない栄華の場ともなって、文化を担う者たちの世代交代を促していった。

光圀の死の直後に、春海の義弟である知哲が世を去った。享年五十七歳。道策と最も多く対戦し、その才気を惜しまれての逝去だった。

春海は既に天文方に就任するとともに碁職を引退していたが、頻繁に道策が江戸の邸宅を訪れたこともあって、ほとんどみなの棋譜を見ている。特に、道策が向《むこう》二子の

一目負けとなったときの棋譜など、かつてない新たな打ち筋が現れており、

「やったなあ」

春海も嬉しくなって誉め、

「我が生涯、最高の傑作ですよ」

自分が負けた棋譜のくせに、道策はやたらとはしゃいだものだった。

そして知哲が亡くなって二年後、その道策もまた病で死んだ。五十八歳だった。

義弟と道策の相次ぐ死ののち、春海は、姓名を〝渋川春海〟に正式に変えている。

ともに上覧碁を打ち、同じ時代を生きた安井算哲の名を、二人の命とともに葬ったのである。

その翌年、義兄の算知も亡くなった。八十七歳の大往生だった。以後、安井家は十世まで存続することになる。

年号が変わり、宝永《ほうえい》元年となった年に、将軍綱吉は実子がいないことから甲府藩主である徳川綱豊を世子と認め、江戸城に住まわせた。このため綱豊に仕える関孝和が、六十六歳にして幕府直属の士となり、江戸城勤めとなったのだった。春海は率先して城内を案内し、

「あちらが大広間です。大きいでしょう」

「うむ。大きいな」

「ここが虎の間です。ここでお着物を替えます。さ、履き物はこちらに」

「うむ。かたじけない」

などと二人揃って城を歩いたりした。もしこれが三十年前に実現していたら、果たして春海と関は、ともに改暦事業を行っていたろうか。春海と関の二人については、後の世で会津藩の算術家たちについて略歴が記された際、たった一文だけが遺《のこ》されることになる。

『蓋安井春海奉命改暦時　以関孝和者精算　命与其事』

安井家の春海が改暦を行った際、関孝和という者が算術に精《くわ》しかったため、その使命に与《あずか》ったのだ、という。だが関は、自分が改暦に協力したとはまったく口にせず、ただ春海の功績を誉めた。どんな書にも改暦のことは一語として記しはしなかったし、誰にも記させなかった。自身は算術家たちを多く育て、〝関流〟は日本随一の算術家の系譜をなし、やがて春海が予見したように、日本独自の数理たる〝和算〟の誕生を促していった。

そうして江戸城勤めとなって僅《わず》か四年後、関孝和は静かに世を去った。享年七十歳。

春海の落胆はこれまでにも増して深く、葬儀ののちも、関の墓前を訪れては泣いた。

それに同行し、慰めてくれたのが安藤である。最期まで謹厳誠実な人となりを失わず、あるいはそのせいで、改暦事業ののち多くの辛苦を背負うことになった。部下の不始末の責任を取り、自ら蟄居《ちっきょ》の罰を甘んじて受け、何年もの間、みなが安藤の無実を知るにもかかわらず、幽閉生活を送ったのである。晴れて赦免となってのち、かねてから春海に負けずに研究を続けてきた暦註《れきちゅう》検証の書を刊行し、江戸で、関や村瀬も交えてともに喜び祝ったものだった。そしてその安藤も、関の死からほどなくして没した。きわめて長齢の、八十五歳での逝去だった。

翌年、将軍綱吉が薨去《こうきょ》し、綱豊が六代将軍家宣《いえのぶ》となって二年後に年号が正徳に革《あらた》められたのを機に、春海は息子の昔尹に天文方の家督を譲って隠退した。

家宣はただちに綱吉の悪政を廃止し、幕政立て直しをはかったが、たった三年で急逝してしまった。その幕政の混乱とさらなる立て直しを、春海はただ過ぎ去るべき者として眺めている。

間もなく幼い徳川家継《いえつぐ》が七代将軍となったとき、江戸は〝場末〟の町並地をふくめ、九百三十三町にまで増え、〝八百八町〟を超える世界最大規模の巨大都市へ発展していた。

かつて明暦の大火と玉川上水によって生まれ変わった江戸は、さらに時代の爛熟《らんじゅく》を経て、春海の見知らぬ都市へと成長していった。

そうして二年後の四月、春海がえんと連れ立って芝居を観た正徳五年。

長子の昔尹が、三十三歳の若さで急逝した。まだまだこれからのはずだった。

夫妻ともに悲しみに耐え、知哲の子を養子として迎え、安井家と渋川家の安泰に尽力してのち、春海はどっと魂が抜けたような疲労を覚えた。回復のない、自分の命の限りへと近づくばかりの疲労である。ようやく迎えのときがきたと悟ったのだろう。春海はこののち多くの時間を、身辺整理や子孫への遺言の作成にあてている。そしてその際、

類ひなき　きみのめぐみの　かしこさを
なにたとへん　春の海辺

こんな歌を遺すよう指示している。きみとは誰のことか。あるいはそれは、巡りゆく星々と、それらを読み解くことによってもたらされる天の恵みのことだろうか。なお、えんは他に、二人の娘をもうけ、このとき既にそれぞれ良縁に恵まれていた。

その半年後の十月。

春海とえんは、金王八幡の神社を訪れている。〝葉も枯れた〟枝だけの桜をわざわざ見に行ったわけではないだろう。何かを奉納したわけでもなく、ただの参拝である。むしろ神社に断って何かをもらって帰ったらしい。もしかするとそれは、遠い昔に春海が献《ささ》げた〝誤問〟の算額絵馬だったかもしれない。春海からすれば、その絵馬が存

在し続けた理由は一つしかない。

えんが、焼かないよう神社に頼み、誤問の紙とともに残したのである。

きっと春海がそのことを問うても、えんのことだから、

「存じません」

にっこり微笑んで言ったろう。

それから数日後の十月六日。

春海と後妻、ともに同じ日に没した。

残された家人たちは、最期まで仲むつまじい夫妻であった、まったくお二人らしいことだと、まるで不幸ではなく、祝うべきことでもあったかのように話している。

主要参考文献

『算額道場』佐藤健一／伊藤洋美／牧下英世（研成社）
『新・和算入門』佐藤健一（研成社）
『渋川春海の研究』西内雅（錦正社）
『明治前　日本天文学史　日本學士院日本科学史刊行会編』（財団法人　野間科学医学研究資料館）
『近世日本数学史　関孝和の実像を求めて』佐藤賢一（東京大学出版会）
『授時暦　訳注と研究』藪内清／中山茂（アイ・ケイコーポレーション）
『暦ものがたり』岡田芳朗（角川選書）
『天文方と陰陽道』林淳（山川出版社）
『和算研究「貞享暦改暦に就いて」』児玉明人（算友会）
『横浜市立大学論叢　日本書紀朔日考』内山守常（横浜市立大学学術研究会）
『科學史研究　第一号「渋川家に関する史料」』神田茂（日本科學史學会）

解説

養老孟司

手にとって読み出して、とても面白い小説だと思った。まったく予備知識なしに読み始めたから、いったいなんの話かわからない。ただタイトルの「天地明察」は読んでいるうちに、あぁ、そういうことか、とわかってきた。算額なんて、たぶん多くの人が知らないんじゃないだろうか。算数の問題が出されていて、絵馬のように、神社に飾ってある。だれがそれに答えてもいい。解答を書いて飾っておくと、正解だと「明察」という賛辞が出題者から与えられる。出題した人も、正解した人も、嬉《うれ》しいだろうなあ。いまは先生が問題を出して、生徒が正解をする。どっちもあまり嬉しくない。私は長年学校にいたから、そう思っている。算額には、じつは正解がない問題が出ていることもある。それはそれで、正解がないよ、というのが正解なのである。

現代の入試にそんな問題を出題したら、不祥事ということで新聞種、テレビ種になる。いまはインターネットの時代だから、こんなこと、当たり前かもしれない。私はあまり熱心にネットを見ないから、問題が出題されて、だれでもいいから答えてくれ、というのがあるのかどうか知らない。英語で書いておけば、世界のどこかから、たぶん返事がもらえそうな気がする。そうか、そういう時代になったから、若い世代がこういう小説を書くようになったのか。そんなことまで考えてしまった。

主人公は渋川春海、碁打ちの家の生まれである。江戸時代は門地家柄がやかましい。この小説によれば、将軍の前で碁が打てる家が四つあって、春海の家はその一つだった。いまでも有名な本因坊家もその一つである。ただし家を継ぐべき長男はすでに養子をとってある。春海は次男で、当時は世継ぎの予備軍である。次男坊は気楽な身分、かならずしも家業を継ぐ必要もない。これを悲劇的にとらえれば、一生することがない、継ぐべき財産もない、気の毒な人たちということになる。歴史学の人がいまでもそう書くこともある。その春海にたまたま算学の才能があった。それが生きて、改暦という大事業にやがてつながっていく。

読んでいて、淀《よど》みがない。すらーっと読めてしまう。そこが気持ちがいい。なぜか。変な思い入れがないからではないか。著者はもちろん春海が好きなのだと思う。でも好き嫌いにもいろいろある。あまり思い入れが深いと、ヘンな喩《たと》えだが、悪女の深情けみたいになる。これは読んでいて気持ちが悪い。たとえば改暦の事業も、はじめは失敗なのである。主人公が失敗をするのだから、そのときのガックリした気持ちを延々と書いたら、もちろん話が暗くなる。この小説だと、そうならない。サラーッ、でお終《しま》い。君子の交わりは淡々として水の如し。だから裏千家の茶道の会は淡交会という。

たぶん淡々としていると感じるのには、まだ理由がある。著者が若いことである。だから主人公も若いときがていねいに書かれている。それでいいのだと思う。若者を評するに、古くから清新という。この作品にはそれが当てはまるような気がする。なぜかって、そういう気がするのだから仕方がない。文学作品の解説に客観性を求められたって、本当はしょうがない。だって最後は好き嫌いなんだから、理屈を言ってもしょうがないのである。清新の気が溢《あふ》れている。そこがこの小説のいいところだと思う。

題材もそれに合っている。関孝和が登場するが、数学はその意味ではじつにさっぱりした学問である。たしかに理屈っぽいのだが、あれこれ捏《こ》ね回すというわけではない。そうなってるんだから、仕方がないだろ。そういう論理である。私はそれを気持ちがいいと感じる性質である。いわゆる「文学」のいやなところは、あれこれ、ぐちゃぐちゃ、捏ねることがあるからである。むろん餅《もち》にするには、捏ねなきゃならない。それはわかっているから我慢はするが、たまには捏ねくらないものも、読みたいではないですか。

だからこの作品を批評するなら、たぶんあそこが足りない、ここが不足だ、などと言いたくなるんじゃないかと思う。私は言わない。このままで十分である。だって話は江戸時代、その時代が簡単にわかるわけがない。正確に、事実に即して、伝えようなんて思ったところで、どうせわからない。いま生きている、この現代だって、なにがどうなっているのか、よくわからない。二百年経ったら、もっとわかるようになるのかといったら、私は懐疑的である。もっとわからなくなるに決まっている。そう思っている。それならこの小説みたいに、サラッとしているのがいい。

算学の才能というのは、どうしようもないものである。算数ができるかできないか、それで高校の理科と文科の適性が決まる。これは好ましいことではない。それはわかっているが、算学ばかりはどうも生まれつきの才能があるらしい。歴史家の磯田道史さんが『武士の家計簿』に書いている。諸大名家の勘定役はたいてい養子なのである。家制度ということで、その家の長男に跡を継がせようとしても、その人に算学の才能がないと無理だからである。お役がつとまらない。

春海の家も同じである。碁の強い弱いも天分で、もちろん教育もあるが、強い人は要するに始めから強い。この小説に出てくる関孝和がそうで、算額を見て「一瞥《いちべつ》即解」だったと書いてある。だからこの人も養子に来たはずである。ちょっと見たら答えが出るというのは、もちろん類似の問題を解いたことがあるからであろう。それも人から与えられたというより、自分で問題を考えて、自分で解く。それならいくらでも応用が利く。その意味では「数学を教える」というのは、たぶん話が違う。答えを教えるのではなくて、解けるまで待つのである。たいていの人は解けるまで待つ辛抱がない。自分の子どもに算数を教えたことがあるが、親子ともに懲り懲りしてしまった。親のほうは早く解けないと怒り出すし、親が怒ったら子どもはゆっくり考える気など失《う》せる。自分で覚えているが、中学だか高校のときに、幾何の問題を一週間、考えたことがある。それで解けたら、あとは楽なもの。似たような問題は全部解ける。

数学の才能ほど、理解しにくいものはない。よくできる人は、天才というしかないのである。でも脳から見て、一つだけ、そうじゃないかと思う点がある。すでに書いたことがあるが、数学者とは、数の世界を「現実だ」と感じている人のことなのである。ふつうの人は数は抽象だと思っているが、本当の数学者は違う。「数の世界は実在です」とはっきり言う。東大にいる頃、私は数学の教授に自分で確かめたことがある。その人はかなり酔っ払っていたが、「先生、数の世界は実在ですか」と尋ねたら、「そりゃ実在です」という断定的な返事が返ってきた。それが理解できないという人は、要するに数学者ではないというだけのことである。

人はだれであれ、現実を自分で決めている。それがどういうものかは、その人の行動を見たらわかる。数が実在の人は、だから数学者ないしそれに近い仕事につく。お金が実在の人は、お金を扱う職業につく。私は虫が実在する人だが、これは職業があまりないので、仕方がないから別なことをして糊口《ここう》をしのぐ。

でもこの小説はいいなあ。久しぶりに気持ちのいい本を読んだ。それが私の正直な読後感である。江戸という時代は、この小説に書かれている渋川春海の場合のように、その人の真の才能を拾うことができた時代である。伊能忠敬《ただたか》にいたっては、五十代から全国の測量を始めている。でも多くの人がそれと逆を教えられてきたと思う。福沢諭吉の「門閥制度は親の敵」という言葉が常識に近くなっているせいもあるかもしれない。新井白石の『折たく柴の記』には、二十代の白石に河村瑞賢《ずいけん》の家から養子の口がかかったと書いてある。白石の才能を河村家はどうして知ったのか。江戸という時代は、人間の才能を掘り起こさなければやっていけない時代だったのである。現代日本はそれを石油エネルギーで代替している。本当の意味で人を大切にしていない。そんな時代が長続きするわけがないじゃないか。社会は所詮《しょせん》は人が作るもので、人の価値がエネルギーに置き換えられている時代が健康なわけがない。

この本を読んで、そんなことでも考えてくだされば、著者はともかく、解説者としては本望なのである。

本書は、二〇〇九年十一月小社刊の単行本を、
上下巻に分冊して文庫化したものです。
文庫化にあたり、加筆修正を行っております。

本書は史実をもとにしたフィクションです。
（編集部）

天《てん》地《ち》明《めい》察《さつ》　下

冲方《うぶかた》　丁《とう》

角川文庫 17399

平成二十四年五月二十一日　初版発行

発行者―井上伸一郎
発行所―株式会社角川書店
東京都千代田区富士見二―十三―三
電話・編集（〇三）三二三八―八五五五
〒一〇二―八〇七八
発売元―株式会社角川グループパブリッシング
東京都千代田区富士見二―十三―三
電話・営業（〇三）三二三八―八五二一
〒一〇二―八一七七
http://www.kadokawa.co.jp

印刷所―大日本印刷　製本所―大日本印刷
装幀者―杉浦康平

定価はカバーに明記してあります。

う 20-7　ISBN978-4-04-100292-6　C0193

角川文庫発刊に際して

角川源義

第二次世界大戦の敗北は、軍事力の敗北であった以上に、私たちの若い文化力の敗退であった。私たちの文化が戦争に対して如何に無力であり、単なるあだ花に過ぎなかったかを、私たちは身を以て体験し痛感した。西洋近代文化の摂取にとって、明治以後八十年の歳月は決して短かすぎたとは言えない。にもかかわらず、近代文化の伝統を確立し、自由な批判と柔軟な良識に富む文化層として自らを形成することに私たちは失敗して来た。そしてこれは、各層への文化の普及滲透を任務とする出版人の責任でもあった。

一九四五年以来、私たちは再び振出しに戻り、第一歩から踏み出すことを余儀なくされた。これは大きな不幸ではあるが、反面、これまでの混沌・未熟・歪曲の中にあった我が国の文化に秩序と確たる基礎を齎らすためには絶好の機会でもある。角川書店は、このような祖国の文化的危機にあたり、微力をも顧みず再建の礎石たるべき抱負と決意とをもって出発したが、ここに創立以来の念願を果すべく角川文庫を発刊する。これまで刊行されたあらゆる全集叢書文庫類の長所と短所とを検討し、古今東西の不朽の典籍を、良心的編集のもとに、廉価に、そして書架にふさわしい美本として、多くのひとびとに提供しようとする。しかし私たちは徒らに百科全書的な知識のジレッタントを作ることを目的とせず、あくまで祖国の文化に秩序と再建への道を示し、この文庫を角川書店の栄ある事業として、今後永久に継続発展せしめ、学芸と教養との殿堂として大成せんことを期したい。多くの読書子の愛情ある忠言と支持とによって、この希望と抱負とを完遂せしめられんことを願う。

一九四九年五月三日

角川文庫ベストセラー

ばいばい、アースⅠ〜Ⅳ　冲方　丁

天には聖星、地には花、人々は獣のかたちを纏う異世界で、唯一人の少女ラブラック＝ベルの冒険が始まる——本屋大賞作家最初期の傑作!!

黒い季節　冲方　丁

未来を望まぬ男と謎の少年、各々に未来を望む2組の男女…全ての役者が揃ったとき世界は新しい貌を見せる。渾身のハードボイルドファンタジー!!

最後の記憶　綾辻行人

バッタの飛翔、白い閃光、子供たちの悲鳴——死を前にした母の「最後の記憶」とは？　奇蹟的な美しさで紡ぎ出される、切なく幻想的な物語の迷宮。

眼球綺譚　綾辻行人

「読んでください。夜中に、一人で」……突然届いた原稿。それはある町で起こった奇怪な事件を題材にした小説だったが……珠玉のホラー短編集。

フリークス　綾辻行人

狂気の科学者は、五人の子供に人体改造を施し責め苛む。ある日彼は惨殺体となって発見されたが!?——謎と恐怖、異形への愛に満ちた三つの物語。

Another《アナザー》（上）　綾辻行人

転校生・榊原恒一は、クラスの雰囲気に違和感を覚えつつも、美少女ミサキ・メイに惹かれていた。そんな中、委員長の桜木が凄惨な死を遂げて……。

Another《アナザー》（下）　綾辻行人

恒一と鳴《メイ》、二人の距離は徐々に縮まっていくが、残酷な〝死〟の連鎖は続く……。ゼロ年代の掉尾を飾った長編本格ホラー、驚愕と感動の完結巻！

角川文庫ベストセラー